D1432445

AUTRES OUVRAGES DANS LA MÊME COLLECTION

Jean Brun : **Développez votre aptitude au bonheur.**

Jean Chartier (Docteur en psychologie) : **Vous et les autres... Cours pratique de caractérologie.**

Bruno Comby : **Comment vous libérer du tabac.**

Bruno Comby : **Stress-control. Comment vous libérer du stress par les méthodes naturelles.**

Patrick Estrade : **Vivre sa vie : comprendre, décider et agir.**

Patrick Estrade : **Réussissez votre personnalité.**

Patrick Estrade : **Vivre mieux : mode d'emploi.**

Patrick Estrade : **Le Couple retrouvé.**

Patrick Estrade : **L'Amour retrouvé.**

Patrick Estrade : **Bonjour l'ambiance !... Comment améliorer les relations humaines en milieu professionnel.**

Pierre Fluchaire : **La Révolution du rêve.**

Céline Gérent : **Le Guide du savoir-vivre sexuel.**

Alain Houel : **Comment faire face aux gens difficiles dans vos relations quotidiennes.**

Patrice Julien : **Cette vie, dont vous êtes le héros...**

Thierry Loussouarn : **Transformez votre vie par la sophrologie.**

Alexander Lowen, M.D. : **La Spiritualité du corps.**

Dr André Passebecq : **Votre santé par la diététique et l'alimentation saine.**

Dr André Passebecq : **L'Enfant. Guide pratique pour les parents et éducateurs.**

Dr André Passebecq : **Psychothérapie par les méthodes naturelles.**

Dr André Passebecq : **Qui ? Découvrez qui vous êtes et qui sont réellement les autres par la grapho-morphopsychologie.**

Marcel Rouet : **Relaxation psychosomatique.**

Marcel Rouet : **Maigrir et vaincre la cellulite par la détente nerveuse.**

Marcel Rouet : **Chassez la fatigue en retrouvant la forme !**

Marcel Rouet : **La Maîtrise de votre subconscient.**

Alain Saury : **Régénération par le jeûne.**

Yvonne Sendowski : **Gymnastique douce.**

Jean Spinetta : **Le Visage, reflet de l'âme.**

Pr Robert Tocquet : **Votre mémoire : comment l'acquérir, la développer et la conserver.**

La spiritualité du corps

collection "Psycho-soma"

(le corps et l'esprit)

AUTRES OUVRAGES DU MEME AUTEUR

La Bio-énergie (Sand, "Le Corps à vivre" ; 1978).
Lecture et langage du corps (Editions Saint-Yves Inc.).
La Peur de vivre (Epi-Hommes et Groupes ; 1983).
Gagner à en mourir : une civilisation narcissique (Epi-Hommes et Groupes ; 1987).
La Dépression nerveuse et le corps (Sand, "Le Corps à vivre").
Le Plaisir (Sand, "Le Corps à vivre").
Le Cœur passionnément : symbolique et physiologie de l'amour (Sand, "Le Corps à vivre" ; 1990).
The Betrayal of the Body.

Alexander Lowen, M.D.

La spiritualité du corps

Pratique de la bioénergie

Traduit de l'américain par Lisette Rosenfeld

Edition française sous la direction
de Marie-Béatrice Jehl

Editions Dangles
18, rue Lavoisier
45800 ST-JEAN-DE-BRAYE

TITRE ORIGINAL AMERICAIN :

The Spirituality of the Body
Bioenergetics for Grace and Harmony

Edition originale américaine :

Published by arrangement with Macmillan Publishing Company.
866 Third Avenue, New York, NY 10022 – U.S.A.

Traduction française :

ISSN : 0397-4294
ISBN : 2-7033-0386-6

L'AUTEUR :

Alexander Lowen est docteur en médecine et psychanalyste américain. Elève de Wilhelm Reich, il invente la « bioénergie » dans les années 1950, qui adjoint à l'analyse verbale une analyse corporelle avec exercices à l'appui. Il a d'ailleurs fondé à New York *The International Institute for Bioenergetic Analysis.*

Le docteur Lowen a acquis une réputation mondiale grâce à cette invention qui fut suivie de multiples séminaires et conférences, à la fois aux Etats-Unis et en Europe. Son œuvre littéraire est constituée de douze livres, dont les bestsellers ont tous été traduits en plusieurs langues.

« Les hommes sages lisent avec beaucoup de sagacité toute notre histoire personnelle dans nos regard, démarche et attitude. L'organisation de la nature est entièrement fondée sur l'expression. Le corps – révélateur – n'est que paroles. Les humains sont comme des montres suisses, dont le boîtier transparent laisse voir tout le mouvement. »

Ralph Waldo Emerson.

Préface

Mon livre a pour objectif la découverte de l'aspect spirituel de la santé. Nous allons voir que la sensation subjective de santé est une impression de plaisir et aussi de vitalité, qui s'accroît pendant les moments de joie. Dans un tel état, nous éprouvons une affinité avec toutes les créatures vivantes et nous nous sentons reliés au monde. D'un autre côté, la douleur nous écarte et nous coupe des autres. Quand nous sommes malades, notre santé est compromise non seulement par les symptômes de la maladie, mais aussi par l'isolement qui en résulte.

Nous allons donc découvrir que la santé se manifeste objectivement dans la grâce des mouvements et dans l'éclat ou le rayonnement du corps (on parle de « santé rayonnante », ce qui n'est pas surprenant), mais également dans la douceur et la chaleur corporelle. L'absence de ces qualités est synonyme de mort ou de maladie fatale. Notre état de santé s'améliore avec l'accroissement de notre souplesse et de notre flexibilité. Nous raidissant de plus en plus avec l'âge, nous nous rapprochons de la mort.

Aldous Huxley a déterminé trois formes de grâce : la grâce *animale,* la grâce *humaine* et la grâce *spirituelle* (1).

Nous l'avons vu, la grâce spirituelle implique l'impression d'être relié à un ordre supérieur. La grâce de l'être humain se reflète dans son comportement à l'égard d'autrui, qu'on peut qualifier à juste titre de gracieux. L'observation

---

1. Aldous Huxley : *La Philosophie éternelle : Philosophia perennis* (Le Seuil, Paris ; 1977).

de créatures libres et sauvages nous a familiarisés avec la grâce animale. Observer des écureuils jouant dans les arbres est pour moi une expérience passionnante. Il n'existe que peu d'humains qui puissent espérer atteindre la grâce et l'assurance de leurs mouvements. Le vol rapide et agile des hirondelles inspire également l'admiration. A un degré ou à un autre, tous les animaux sauvages possèdent cette merveilleuse grâce des mouvements.

Pour ce qui est des humains, selon Huxley, la grâce animale peut nous être acquise lorsque nous nous ouvrons à la « vertu du soleil et à la quintessence de l'air » au lieu de nuire à notre corps en interférant avec le fonctionnement de notre intelligence animale innée (2).

Cependant, les humains ne peuvent peut-être pas vivre sur le même plan que les animaux sauvages, et ils ne le font d'ailleurs pas. Toujours selon Huxley, la raison en est que la plénitude de la grâce animale est réservée aux bêtes : la nature humaine est telle que nous devons vivre une vie consciente. Cela signifie que « la grâce animale ne suffit plus, depuis longtemps, à guider notre vie et que nous devons la compléter en choisissant délibérément entre le bien et le mal (3) ». Il nous faut accepter l'argument d'Huxley ; néanmoins, si la grâce animale n'est pas suffisante pour guider notre vie, elle reste cependant nécessaire. En d'autres termes : une attitude qui ne prend pas sa source dans la grâce du corps animal peut-elle être gracieuse ? Si nous adoptons délibérément des manières gracieuses sans les fonder sur des sensations corporelles de plaisir, il y a grâce seulement de façade, érigée dans le but d'impressionner ou de tromper le monde.

Selon la Bible, avant de manger du fruit défendu de l'arbre de la Connaissance, l'Homme vivait dans le jardin d'Eden sans aucune conscience de soi, tout comme les autres animaux. Il était innocent et connaissait la joie de vivre dans un état de grâce. La découverte du bien et du mal le rendit

---

2. *Op. cit.*
3. *Op. cit.*

responsable de ses choix ; il perdit alors son innocence et prit conscience de soi. L'harmonie qui avait existé entre l'Homme et Dieu, entre l'Homme et la nature, fut détruite. Au lieu de continuer à vivre dans la félicité de l'ignorance, l'Homme acquit la connaissance et connut la « maladie », le « mal-être ». Pour Joseph Campbell, la tradition chrétienne, en séparant l'esprit de la chair, est en partie responsable de cette perte d'harmonie. « La séparation chrétienne entre la matière et l'esprit, entre le dynamisme de la vie et les valeurs spirituelles, entre la grâce naturelle et la grâce supranaturelle a réellement castré la nature (4). »

Mais derrière la tradition chrétienne se cache le concept judéo-grec de la supériorité de l'esprit sur le corps. Or, quand l'esprit et le corps sont séparés, la spiritualité devient un phénomène intellectuel – une croyance plus qu'une force vitale – tandis que le corps devient tout simplement chair, ou encore laboratoire biochimique, comme dans la médecine moderne. Le corps, dépourvu d'esprit ou « déspiritualisé », se caractérise par un certain manque de vitalité et de grâce. Ses mouvements, étant largement déterminés par le mental ou par la volonté, tendent à avoir un côté mécanique. Quand l'esprit insuffle le mouvement au corps, ce dernier frémit d'excitation et bondit d'enthousiasme, comme un torrent descendant en cascade la pente d'une montagne, ou bien il ressemble à une rivière large et profonde coulant tranquillement dans une plaine. La vie ne s'écoule pas toujours sereinement et sans heurts, mais celui qui doit se pousser ou se traîner à travers les années a un réel problème de dynamique corporelle qui le prédispose à la maladie.

La vraie grâce est innée ; elle fait partie des dons naturels de l'homme en tant que créature de Dieu. Une fois perdue, elle ne peut, cependant, être restituée que si nous rendons au corps sa spiritualité. Dans cette optique, nous devons comprendre pourquoi et comment elle a été perdue. De plus, comme il est impossible de recouvrer une chose perdue sans

4. Joseph Campbell : *La Puissance du mythe* (J'Ai lu, Paris ; 1991).

savoir en quoi elle consiste, nous allons commencer par explorer le corps naturel, un corps dans lequel le mouvement, la sensation, le sentiment et la pensée s'intègrent dans des actions gracieuses. Nous allons étudier le corps en tant que système énergétique fermé et qui s'auto-entretient, un système qui dépend de l'environnement pour sa survie et qui est en interaction constante avec lui. Cette perspective énergétique va nous permettre de comprendre la vraie nature de la grâce physique et de la spiritualité sans tomber dans le mysticisme. Elle nous conduira à une exploration du rôle de la sensation et du sentiment dans la grâce humaine. En l'absence de sensation ou de sentiment, le mouvement devient mécanique et les idées pure abstraction. Il est parfaitement possible de prêcher l'amour à une personne dont l'esprit est brisé et dont l'âme est remplie de haine, mais un tel discours ne servira à rien. C'est en réussissant à restaurer l'intégrité de son esprit que nous réveillerons son amour. Nous allons examiner quelques-unes des perturbations qui brisent l'esprit d'une personne, amoindrissent sa grâce corporelle et minent sa santé. La grâce, comme critère de santé, nous permettra de comprendre nombre de problèmes émotionnels qui tourmentent les humains et ensuite d'exposer en quoi consiste cette qualité, facteur de bonne santé.

L'esprit et la matière se rejoignent dans le concept de grâce. En théologie, la grâce est définie comme étant « l'influence divine agissant dans le cœur pour le régénérer, le sanctifier et le conserver ». Elle pourrait aussi être définie comme l'esprit divin agissant à l'intérieur du corps – l'esprit divin se traduit par un corps naturellement gracieux [beau], et par une attitude gracieuse à l'égard de toutes les créatures de Dieu. La grâce est un état de sainteté, de plénitude, d'union avec la vie et d'unité avec le divin. Comme nous allons le voir, cet état est également synonyme de bonne santé.

1

Le concept de grâce et de spiritualité

Nos efforts pour rester en bonne santé ne peuvent être efficaces que si notre concept de santé est positif. Définir la santé comme l'absence de maladie est une vue négative ; le corps est alors considéré avec l'œil du mécanicien devant une automobile : pour lui, on peut remplacer des pièces sans perturber la machine. Cela n'est vrai d'aucun organisme vivant et certainement pas des êtres humains. A l'inverse d'une machine, nous éprouvons des sensations et des sentiments, et nous avons la capacité de nous mouvoir spontanément ; nous sommes en outre étroitement et profondément liés à d'autres organismes vivants et à la nature. Notre spiritualité procède de ce sentiment de lien avec une force ou un ordre plus élevé que nous-même. Le nom que nous donnons à ce dernier importe peu, pas plus, d'ailleurs, qu'il n'importe – à l'exemple des Hébreux – de ne pas lui en donner.

Si nous acceptons l'idée que les êtres humains sont des créatures spirituelles, il nous faut également accepter celle que la santé est liée à la spiritualité. Je suis convaincu que notre santé mentale est sérieusement perturbée lorsque nous perdons notre sentiment d'être en relation avec autrui, avec les animaux ou avec la nature. Sur le plan culturel, nous désignerons cette perturbation mentale par le terme d'« anomie ». Sur le plan individuel, nous la décrirons comme un sentiment d'isolement, de solitude et de vide qui peut aboutir à la dépression ou, dans des cas plus graves, à un repli schizoïde. On n'admet en général pas le fait que la rupture avec le monde extérieur entraîne une perte de relation avec le moi corporel. Cette absence de perception de son propre corps est à la fois le fondement de la dépression et de l'état schizoïde. Elle est due à une réduction de la vitalité du corps, à une diminution de sa substance vitale et à une baisse de son énergie. Bien sûr, la santé mentale ne peut être séparée de la santé physique ; la véritable santé inclut l'un et l'autre aspect. De même, la médecine n'a aucun critère physique ou objectif valable lui permettant d'évaluer la santé mentale d'une personne. Le seul moyen de la mesurer est de constater l'absence d'éléments perturbateurs dans la personnalité du patient et d'enregistrer les troubles dont il se plaint. Nous devons comprendre que les symptômes sont des phénomènes subjectifs.

Objectivement, la santé mentale se reflète dans la vitalité du corps, qui peut être observée dans la brillance des yeux, la couleur et la chaleur de la peau, la spontanéité de l'expression, la vibrance du corps et la grâce des mouvements. Les yeux, en tant que miroir de l'âme, sont particulièrement importants. Nous pouvons y voir la vie de l'esprit. Quand cet esprit est absent – comme dans la schizophrénie – les yeux sont vides. Dans l'état de dépression les yeux sont tristes et, très souvent, on peut déceler un profond désespoir chez la personne. Dans le cas de la personnalité limite les yeux sont ternes, ce qui est le signe que la vue en tant que fonction – c'est-à-dire le pouvoir d'appréhender ce que l'on observe – est mutilée. Ce ternissement des yeux peut, dans la plupart des cas, être imputé à l'horreur vécue pendant l'enfance.

Comme les yeux sont importants dans la communication avec les autres et avec le monde ambiant, je vais analyser leur fonction de façon plus approfondie au chapitre XI : « Face au monde. » Les personnes aux yeux brillants ont tendance à avoir un regard direct, à établir un contact visuel qui est une relation physique avec l'autre personne. La couleur brillante et chaude de la peau est due au fort afflux de sang à la surface du corps – le sang partant du cœur et agissant sous l'influence de l'esprit « divin ». De la même façon, la vibrance du corps et la grâce du mouvement sont des manifestations de cet esprit. On peut en conclure que les Grecs avaient raison de dire qu'un esprit sain ne peut exister que dans un corps sain.

Eu égard à ce qui précède, nous pouvons nous demander si cela a un sens et s'il est efficace de traiter les maladies mentales indépendamment du corps ou de soigner une maladie physique sans aucune considération pour l'état d'esprit du patient. Je répondrai à la fois par oui et par non. Dans le cas où le traitement a pour seul objectif d'éliminer un symptôme douloureux, il peut être judicieux, sensé et efficace de se préoccuper exclusivement de l'endroit qui fait souffrir. Quasiment tous les médecins ont recours à ce genre de traitement. Mais une telle pratique ne rend pas son parfait état de santé au patient et ne soigne pas non plus la cause réelle du désordre, à savoir les facteurs de la personnalité qui prédisposent à cette maladie. Cependant, il n'est pas nécessaire de chercher systématiquement dans cette direction. Si quelqu'un se casse un os ou si une plaie s'infecte, il est possible de guérir la partie blessée par des soins directs. Cette approche, bien que limitée, a permis à la médecine occidentale d'obtenir de remarquables résultats dans le traitement de la maladie. La connaissance du fonctionnement structurel et biochimique du corps que possède cette médecine a, en dépit de son attitude mécaniste, permis aux praticiens de réaliser, en apparence, des miracles. Néanmoins, ce type de médecine a des limites très précises que de nombreux médecins refusent de reconnaître. Un grand nombre de maladies très répandues résiste à cette approche. Les troubles du bas du dos – que le nerf sciatique soit touché ou non – sont largement répandus chez les Occidentaux ; cependant, rares sont les orthopédistes qui comprennent ces maladies et sont en mesure de les traiter efficacement. L'arthrite et les maladies rhumatismales sont des désordres similaires qui, pour la science médicale, représentent un défi. Que le cancer soit difficile à traiter est bien connu. Ce que je veux souligner est qu'il s'agit d'altérations concernant la personne entière et ne pouvant être comprises que sous cet angle. La compréhension ne conduit pas toujours à la guérison mais, sans elle, il est impossible de faire recouvrer à quelqu'un une vraie santé.

Il y a quelques années, j'ai traité une femme pour de graves désordres intestinaux. Elle était allergique à de nombreux aliments, y compris le pain, le sucre et la viande. Manger ces aliments provoquait chez elle crampes et diarrhées qui l'affaiblissaient et l'épuisaient. Elle suivait, par conséquent, un régime très sévère mais, malgré sa prudence, restait sujette à des crises de diarrhée. Son poids était insuffisant et elle manquait d'énergie. Bien sûr, elle avait consulté un grand nombre de médecins. Les examens avaient révélé des intestins infestés de parasites, tant amibiens que fongiques, les médications ne produisaient cependant qu'un soulagement passager. Les parasites ne semblaient disparaître que pour mieux réapparaître peu après.

Etant son thérapeute, je finis par bien la connaître. Je l'appellerai Ruth. C'était une petite femme, au visage et au corps plutôt jolis. Son visage était néanmoins déformé par de gros yeux et un regard rempli d'effroi. En outre, elle était myope. Sa mâchoire était extrêmement étroite et projetée en avant et semblait jeter un défi, comme pour dire : « Vous ne me détruirez pas. » Etant donné la peur intense contenue dans ses yeux, cela pouvait tout aussi bien vouloir dire : « Vous ne réussirez pas à me faire peur. » Ruth n'était pas consciente de cette peur intense en elle.

Au cours de l'analyse, la patiente me fit part de l'information suivante. Elle était la fille unique de parents juifs qui avaient émigré aux Etats-Unis peu après la fin de la guerre. Ruth reconnaissait que ses deux parents avaient des problèmes émotionnels. Sa mère était une femme apeurée et anxieuse ; son père, quoique de santé délicate, travaillait dur. Ruth décrivit son enfance comme une période malheureuse de sa vie. Elle sentait que sa mère lui était hostile, la chargeant de tâches ménagères qui ne lui laissaient pas de temps pour jouer. Sa mère était également très critique à son égard. Ruth ne pouvait se souvenir d'une quelconque chaleur ou d'un contact physique intime. D'un autre côté, elle conservait des sentiments affectueux pour son père, dont elle se sentait aimée. Mais il avait pris ses distances vis-à-vis d'elle alors qu'elle était encore toute petite.

L'esprit de Ruth était brisé, mais son corps n'était pas totalement « déspiritualisé ». Il y avait un vide dans son corps, signe d'un esprit faible. Elle n'était pas agressive. Il lui était très difficile de se tendre vers les autres et de recevoir de quelconques bons sentiments. Sa respiration était peu profonde et elle n'avait guère d'énergie. Elle comprit ce problème qu'elle avait de se tendre vers autrui, et l'attribua à de la méfiance. J'établis une relation de cause à effet entre ses troubles intestinaux et son incapacité d'absorber de la nourriture. Le lait de sa mère lui avait fait l'effet d'un poison. Elle avait été allaitée pendant peu de temps, et ne se souvenait pas de son sevrage, événement que je considérai comme le premier traumatisme majeur de sa vie. L'hostilité de sa mère avait très certainement été un poison. Un second traumatisme majeur fut la perte de contact avec son père, largement imputable à la jalousie de sa mère à l'égard de l'amour du père pour sa fille. Son abandon la laissa impuissante face à une mère hostile et lui donna le sentiment que personne ne l'aimait.

En dépit de mes efforts pour l'aider, Ruth se méfiait de moi. Bien qu'elle se sentît plus vivante après nos séances, l'amélioration ne durait pas. Puis, quelque chose de remarquable se produisit. Ruth avait une amie qui lui indiqua une femme soignant d'après les convictions de la Science chrétienne. Ruth alla consulter cette personne, qui lui parla du pouvoir de guérison de la foi en Jésus-Christ. Elle lui expliqua que l'âme est immortelle et que bien que le corps meure, la personne continue à vivre en esprit. Elle fit également remarquer à Ruth qu'elle s'était identifiée à ses symptômes. En réalisant que ceux-ci affectaient son corps et non son âme, elle put mettre fin à cette identification. Ruth me dit alors : « Pouvez-vous imaginer. Moi, une juive, croire en Jésus-Christ ! »

Le plus remarquable était que les symptômes de Ruth avaient complètement disparu. Elle paraissait être en bonne santé et se sentait bien. Même la nourriture à laquelle elle avait été allergique auparavant ne provoquait maintenant plus aucune réaction de rejet. C'était, en apparence, un miracle de la foi, car la foi peut produire de tels miracles. Il est cependant possible de donner une explication rationnelle de la guérison de Ruth.

Mon explication est fondée sur la thèse que les symptômes et la condition pathologique des intestins de Ruth représentaient son identification avec sa mère, qu'elle voyait comme une personne dépossédée d'elle-même et souffrante. Une des particularités de la nature humaine est l'identification à l'oppresseur. Comme nous l'avons vu, Ruth avait été opprimée par sa mère, avait peur d'elle et la haïssait. En même temps, elle la plaignait et se culpabilisait. Elle était liée à sa mère dans son inconscient, c'est-à-dire dans son esprit. Il lui fallait souffrir.

Pour une juive, l'acceptation du Christ signifie une rupture avec sa famille et avec son passé. Grâce à cette rupture, Ruth libéra son esprit de ce lien pathologique avec la souffrance de sa mère et surmonta momentanément sa maladie. En langage thérapeutique, nous appelons cet événement une « perlaboration ». Une perlaboration étant une étape importante dans la restauration de la santé et dans la libération de l'esprit, elle nécessite un soutien. En effet, en participant à cette expérience, Ruth était plus détendue, mais son visage restait contracté, ses yeux continuaient d'exprimer l'effroi et ses épaules d'être crispées. L'impasse dans laquelle se trouvait son esprit commençait à s'ouvrir, mais elle savait qu'elle avait d'autres conflits à résoudre et du travail à réaliser sur son corps avant de retrouver sa grâce.

Barbara est aussi une femme qui accomplit une *perlaboration* et qui libéra son esprit ; elle approchait de la soixantaine et souffrait depuis plus de dix ans de constantes crises de diarrhée. L'ingestion de sucre ou de tout aliment sucré provoquait, généralement, une crise. Le stress en était également un facteur : ces crises se produisaient le plus souvent quand elle était hors de chez elle. Mais sa principale source de stress était un second mariage très conflictuel. En dépit de ses difficultés, Barbara répugnait à chercher de l'aide, persuadée qu'elle devait résoudre seule ses problèmes. Au début de la thérapie, les progrès furent très lents. Elle ne pouvait s'empêcher de contrôler sa thérapie, tout comme il lui fallait contrôler sa vie. Contrôler signifiait retenir ses sentiments, venir à bout de toute situation sans manifester d'émotion. Perdre le contrôle, laisser libre cours à ses sentiments, éveillait en elle le spectre de la folie.

La *perlaboration* de Barbara se produisit le jour où elle finit par comprendre qu'elle avait échoué. Son ménage était sur le point de se briser, ce qui la mettait au désespoir. Quand elle commença à se rendre compte de ces sentiments, pour la première fois depuis des années, Barbara s'effondra et pleura. Elle sentait qu'elle avait perdu et était perdue. Elle avait toujours été la « petite fille » de son père et avait cru pouvoir toujours satisfaire son mari et le garder. La perte – la mort – de son premier mari ne lui avait pas enlevé cette illusion. Après sa séance de pleurs, Barbara ressentit une forte colère à l'égard de son père, qui l'avait trahie par la promesse implicite de l'aimer si elle restait une « gentille » petite fille. Etre une gentille petite fille signifiait ne pas donner libre cours à ses sentiments et être toujours vive, intelligente et forte. Cette attitude avait apparemment fonctionné pendant son premier mariage, dans lequel elle était parvenue à toujours se contrôler. Elle n'avait pas fonctionné pour le second, et cela accroissait encore son besoin d'autocontrôle. Elle souffrait en conséquence d'un côlon spasmodique qui se relâchait pendant ses périodes de stress, provoquant des diarrhées. Après sa *perlaboration,* ces maux n'affectèrent plus Barbara, ce qu'elle avait initialement attribué au fait de ne plus manger de sucre. C'est seulement après s'être permis une fois de satisfaire son envie de sucré sans que sa santé en fût altérée que la patiente comprit qu'elle s'était enfin débarrassée de son problème. Ce fut, ici aussi, une guérison spirituelle, car en libérant ses sentiments, Barbara avait libéré son esprit.

Le cas de Ruth révèle le pouvoir de guérison du corps par la force mentale. La Science chrétienne est connue pour sa foi en ce pouvoir et son utilisation pour la guérison. En raison de son orientation mécaniste, la médecine occidentale refuse cependant de reconnaître cette force qui, en revanche, est un élément essentiel de la médecine orientale. Celle-ci s'est toujours préoccupée en tout premier lieu du maintien de la santé plutôt que des soins eux-mêmes. Une telle attitude exige une conception religieuse de la santé qui est absente de la médecine occidentale. Dans tout l'Orient, la santé est généralement considérée comme un état d'équilibre ou d'harmonie entre l'individuel et l'universel. Ce principe est le fondement du T'ai-chi chuan, un programme d'exercices dont l'objectif est de favoriser un sentiment d'unité avec le cosmos au moyen de mouvements fluides et gracieux (1). Le même principe se retrouve dans la méditation dont l'objectif est de calmer l'esprit afin que le sujet puisse percevoir son esprit profond et sentir son lien avec l'esprit universel. Le concept d'équilibre et d'harmonie s'applique aussi aux deux grandes forces que les Chinois appellent *yin* et *yang*. Ces deux forces, l'une représentant la Terre et l'autre le Ciel, devraient être équilibrées au sein de l'individu comme elles

---

1. Voir l'ouvrage de Jean-Claude Sapin : *L'Art du T'ai-chi chuan* (Editions Dangles ; 1984).

le sont dans l'univers. La maladie est considérée comme un déséquilibre entre elles.

Il est possible de concevoir les maladies de Ruth et de Barbara en terme de déséquilibre de ces forces. Les deux forces en jeu peuvent être considérées comme l'ego et le corps, la pensée et le sentiment, le bien et le mal. Dans les deux cas, ce déséquilibre était manifeste étant donnée la domination du corps par la tête. Pour Ruth, être gentille signifiait être sensible à la souffrance de sa mère et dénier ses propres besoins. Pour Barbara, être gentille signifiait être spirituelle, intelligente et forte ; être méchante équivalait à être émotionnelle. Dans tout ce livre, j'insisterai sur le besoin d'harmonie entre l'ego et le corps, y voyant le fondement nécessaire à la grâce et à la vraie spiritualité.

Il est important de comprendre que la spiritualité – le sens qu'a l'individu d'être relié à un ordre supérieur – est considérée par les philosophies et religions orientales et occidentales sous des angles différents. Tandis que la pensée orientale voit la spiritualité comme un phénomène corporel, la pensée occidentale la voit principalement comme une fonction de l'esprit. Une autre façon d'exprimer cette différence est de dire qu'en Occident la spiritualité relève pour une part considérable de la foi, tandis qu'en Orient elle relève plutôt du sentiment. Il est exact, bien sûr, que la foi peut affecter les sentiments, de la même façon que les sentiments peuvent susciter des croyances. Dans l'histoire de Ruth, nous avons vu comment la foi dans le Christ et dans l'immortalité de l'âme a pu fortement influencer le fonctionnement des mécanismes corporels. D'un autre côté, une expérience transcendantale, dans laquelle on sent la force de l'esprit, peut entraîner ou nourrir la croyance en une divinité. Nous nous devons néanmoins de reconnaître qu'il existe – ou qu'il a existé – une différence fondamentale entre ces deux conceptions de la relation de l'homme au monde. L'Orient a toujours manifesté un plus grand respect de la nature que l'Occident, car il est persuadé que le bien-être des êtres dépend de leur harmonie avec la nature. Le Tao est la voie de la nature. L'Occident, du moins au cours des derniers siècles, a cherché le pouvoir et le contrôle sur la nature. Cette différence se retrouve dans l'attitude des Occidentaux à l'égard du corps. L'Occident envisage la santé corporelle en termes d'aptitude (pour utiliser une expression courante), aptitude à réaliser sa vie, au sens où une machine est apte à exécuter un travail. Les exercices de l'Occidental, soulevant des poids ou utilisant des machines pour produire, dénotent cette attitude. A l'opposé, les exercices orientaux, comme le yoga ou le T'ai-chi chuan, reflètent un intérêt pour la vitalité ou la qualité spirituelle du corps.

L'histoire de la perte de la grâce se répète à chaque naissance. Comme tout autre mammifère, le bébé humain vient au monde dans un état de grâce animale, même si ses mouvements restent maladroits pendant plusieurs mois. Il ne maîtrise pas encore la coordination musculaire qui lui permettra de se mouvoir aisément pour satisfaire ses besoins. Même le gracieux daim lutte maladroitement pour se mettre sur ses pattes à sa naissance. Mais aucun organisme animal n'a besoin de faire d'efforts conscients pour développer sa coordination, qui est biologiquement programmée pour s'élaborer avec la croissance. Même au cours des premiers mois de sa vie, un enfant exécute des mouvements qui sont réellement gracieux. Le plus évident est son geste de tendre bouche et lèvres pour sucer le sein de sa mère. Il y a, dans ce mouvement, une tendresse, une douceur et une qualité de fluidité qui font penser à une fleur ouvrant ses pétales au soleil du matin. La bouche est la partie du corps du bébé qui va mûrir en premier ; la succion est un acte essentiel à la vie. A l'opposé, j'ai travaillé avec un grand nombre d'adultes et constaté leur incapacité de tendre librement et pleinement leurs lèvres. Bon nombre ont les lèvres serrées et dures ; leurs mâchoires sont tendues et cruelles. Certains éprouvent même des difficultés à ouvrir grand la bouche. Quelques mois seulement après sa naissance, un bébé peut tendre un bras pour toucher le corps de sa mère dans un délicat et gracieux geste de tendresse.

Cependant, en grandissant, les enfants perdent tôt ou tard leur grâce, étant obligés de se conformer aux attentes extérieures au lieu de suivre leurs impulsions internes. Quand les impulsions des enfants vont à l'encontre des injonctions des parents, ceux-ci leur disent rapidement que leur conduite est détestable. Si les enfants persistent dans leur comportement, ils sont à leur tour jugés comme étant détestables. Dans la plupart des cas, les impulsions et la conduite des très jeunes enfants sont innocentes ; l'enfant est tout simplement en accord avec sa nature. Un exemple courant est celui de l'enfant fatigué, qui désire être porté. Mais la mère peut elle-même être fatiguée, occupée, ou porter un lourd paquet, ce qui l'empêche de satisfaire le besoin de son enfant. Le résultat est un enfant qui pleure et exaspère sa mère en refusant de marcher. Certaines mères châtient l'enfant et lui disent de cesser de pleurer. Si ce dernier persiste dans son attitude irritante, il peut arriver que la mère le frappe, ce qui entraîne encore plus de larmes. A ce point de notre exemple, l'enfant n'a pas perdu sa grâce, car il n'a pas encore réprimé ses impulsions. Tant qu'un enfant peut pleurer à sa guise, son corps restera souple. Les bébés vivent souvent la frustration et la souffrance, ce qui raidit et tend leurs petits corps. Mais la raideur et la tension ne durent pas. Rapidement, le menton se met à trembler et l'enfant éclate en sanglots. Au fur et à mesure que des flots de pleurs traversent le corps, sa raideur et sa rigidité fondent. Mais, il arrive un âge où l'enfant est réprimandé pour ses pleurs et il doit refouler ses sanglots, ravaler ses larmes. C'est à ce moment-là que l'enfant est expulsé de son état de grâce et devient un individu n'ayant plus la liberté de « s'abandonner à sa félicité », chose que Joseph Campbell recommandait.

La colère est un autre sentiment naturel que de nombreux parents n'acceptent pas, surtout quand elle est dirigée contre eux. Mais les enfants vont spontanément « exploser » contre leurs parents quand ils se sentent contraints et forcés. Peu de parents accepteront la colère d'un enfant, car elle menace leur pouvoir et leur domination. D'une façon ou d'une autre, ils diront à l'enfant qu'une telle attitude est mauvaise et sera punie. Même des activités innocentes – telles que courir, faire du bruit et bouger – peuvent irriter certains parents, qui demanderont à l'enfant de se calmer, de bien se tenir et de rester tranquillement assis.

Pour de nombreux enfants, la liste des « fais ceci » et « ne fais pas cela » est très étendue. Bien sûr, un minimum de contrôle parental est nécessaire pour élever les enfants. Trop souvent cependant, le résultat ne va pas dans le sens du bien-être de l'enfant, mais de celui des parents. Très souvent, le conflit se transforme en une lutte pour le pouvoir. Peu importe qui gagne dans ce genre de conflit, car les deux parties sont en fait perdantes. Que l'enfant se soumette ou se rebelle, la relation d'amour entre enfant et parents est interrompue. Avec la perte de l'amour, la spiritualité de l'enfant est endommagée, et il perd sa grâce.

La perte de la grâce est un phénomène physique. Nous pouvons le constater dans la façon dont les gens se meuvent et se tiennent debout. Très souvent, un patient vient me consulter pour des symptômes courants de dépression. Comme je l'ai souligné dans une étude antérieure (2), la dépression affecte non seulement la pensée de la personne, mais aussi ses mouvements, ses appétits, sa respiration et sa production d'énergie. Pour comprendre parfaitement cette maladie, j'observe le corps. Généralement, la personne se tient debout dans l'attitude d'un gentil petit garçon ou d'une gentille petite fille qui attend qu'on lui dise ce qu'il ou elle doit faire.

Cette attitude inconsciente s'est enracinée dans la personnalité en se structurant dans le corps. Lorsque j'attire l'attention des patients sur la signification de cette posture, ils confirment invariablement que leurs parents les considéraient comme de gentils enfants. De tels « gentils » enfants deviennent des personnes productives, mais qui ne connaîtront jamais la vitalité ni la grâce, à moins d'une profonde transformation de leur personnalité.

---

2. Alexander Lowen : *La Dépression nerveuse et le corps.*

On dit souvent que nous sommes façonné par notre expérience et, en le disant, je le pense vraiment. Pour illustrer ce concept, je décrirai trois cas que j'ai expérimentés :

Le premier concerne un psychologue hollandais qui a participé à un atelier que je dirigeais, il y a longtemps de cela, à l'Institut d'Esalen. Dans la pratique de la bioénergie, maintenant devenue routinière, je considère le corps humain comme clef d'un vécu. Le corps de cet homme présentait une déformation inhabituelle : une cavité de 6 pouces (environ 15 cm) de profondeur sur le côté gauche. Je n'avais jamais vu une telle cavité auparavant et ne sus l'interpréter d'aucune façon. Quand je le questionnai à ce sujet, il me raconta que cela avait commencé par une légère concavité sur le côté gauche de son corps à l'âge de neuf ans. En trois années, cette concavité s'était approfondie atteignant les 15 cm que je vis. Comme elle n'avait pas eu d'incidence sur le cours de sa vie, il n'avait jamais consulté de médecin à son sujet. Je lui demandai si quelque chose d'inhabituel s'était produit dans sa vie lorsqu'il avait onze ans. Il répondit que sa mère s'était remariée et qu'il avait été envoyé dans un pensionnat. Ce récit ne sembla pas faire d'impression sur le reste du groupe, mais il me frappa car il était significatif. Je saisis immédiatement la signification de ce creux : il était comme la marque d'une main qui l'aurait repoussé.

Le second cas est celui d'un jeune homme aux larges épaules, les plus larges que j'aie jamais vues chez un homme. Tandis que je faisais cette réflexion durant la consultation, il parla de son père, le décrivant comme un homme qu'il admirait énormément. Il raconta qu'une fois, âgé de seize ans, alors qu'il venait de rentrer de l'école militaire, son père l'avait prié de se placer à côté de lui devant un miroir. Le jeune homme vit alors qu'il était aussi grand que son père et fut fortement frappé par la pensée que s'il continuait à grandir, il regarderait son père d'en haut. A partir de ce jour, il ne grandit plus, mais ses épaules s'élargirent. Il était évident pour moi que la croissance s'était faite en largeur, afin d'éviter au fils de surpasser et de dépasser son père.

Le troisième exemple porte sur un jeune homme qui était très grand, environ 6 pieds 3 pouces (à peu près 2,20 m). Il se plaignait de se sentir coupé de la vie. Il déclarait ne pas sentir la partie inférieure de ses jambes ni ses pieds lorsqu'il marchait. Quand il faisait un pas, il ne réussissait pas à sentir son pied toucher le sol (3). Il avait grandi assez rapidement à l'âge d'environ 14 ans. Lorsque je le questionnai sur sa vie, il me raconta que son père avait quitté la chambre conjugale pour s'installer dans la chambre de son fils, qui fut ainsi obligé de dormir au grenier. Il avait l'impression, disait-il, d'avoir été « expédié en haut ».

Pour la plupart des gens, de tels traumatismes émotionnels peuvent sembler ne pas être assez graves pour entraîner de telles distorsions du corps. Mon expérience me prouve cependant que la profondeur et l'intensité des sentiments se traduisent le plus souvent par des réactions corporelles. Toute expérience affecte le corps de la personne qui la vit et est enregistrée par son esprit. Si l'expérience est agréable, elle favorise la santé, la vitalité et la grâce du corps. L'opposé vaut pour les expériences douloureuses, qui sont négatives. L'effet peut être temporaire dans le cas où la personne est capable de réagir au traumatisme de façon appropriée, car le corps peut se guérir lui-même et il le fait. Cependant, si la réaction est bloquée, le traumatisme laisse une marque sur le corps sous la forme d'une tension musculaire chronique.

Considérons ce qui arrive à l'enfant à qui l'on enseigne que pleurer est inacceptable. L'impulsion de pleurer est présente dans le corps et doit être bloquée d'une manière ou d'une autre si on lui refuse l'expression. Afin de contrôler cette émotion, les muscles intervenant dans l'acte de pleurer doivent se contracter et le rester jusqu'à ce que l'impulsion disparaisse. Néanmoins, cette impulsion ne meurt pas, mais elle se retire dans le corps où elle continue à vivre dans

3. Ce cas est entièrement décrit dans Alexander Lowen : *Lecture et langage du corps*.

l'inconscient. Elle peut être réactivée des années plus tard par la thérapie ou par toute autre expérience intense. Jusque-là, la musculature concernée – dans ce cas, les muscles de la bouche, de la mâchoire et de la gorge – restera dans un état de tension chronique. La fréquence de ce phénomène est révélée par le nombre important de personnes qui souffrent de mâchoires tendues ; il est, sous sa forme grave, appelé T.M.J. (syndrome temporo-mandibulaire).

Toute tension musculaire chronique dans le corps montre l'existence d'impulsions naturelles inconsciemment bloquées. Un bon exemple est le cas de cet homme dont les muscles étaient si tendus et contractés aux épaules qu'il ne pouvait pas lever les bras au-dessus de sa tête. Ce blocage représentait une inhibition de son désir de lever les mains sur ses parents. Lorsque je demandai à ce patient s'il avait jamais été capable de se mettre en colère contre son père, il répondit que non. L'idée qu'il pouvait frapper son père lui était inconcevable, autant qu'à son père. Mais cette inhibition avait eu pour conséquence de détruire la grâce naturelle des mouvements de ses bras.

En voyage au Japon, il y a quelques années, je vis un enfant d'environ trois ans battre sa mère avec ses poings. Je fus frappé par le fait que la mère ne faisait rien pour stopper l'enfant ou pour le punir d'une manière ou d'une autre. J'appris plus tard qu'enseigner à un enfant le contrôle dont il a besoin pour développer la grâce dans la vie sociale ne commence pas avant sa sixième année. Avant cet âge, l'enfant est considéré comme innocent, sans connaissance du bien et du mal. A l'âge de six ans, l'ego est suffisamment développé chez l'enfant pour que l'éducation devienne une activité consciente, fondée sur les pulsions et non sur la peur. A cette période de sa vie, l'enfant est considéré comme suffisamment âgé pour pouvoir modeler consciemment sa conduite sur celle de ses parents. Ceux-ci ne punissent pas l'échec physiquement ou en retirant leur amour à l'enfant, mais en lui faisant honte. C'est également l'âge auquel l'enfant est en général envoyé à l'école. Nos cultures ont une forte tendance à le faire plus tôt (4). Il est certain que les enfants apprennent avant l'âge de six ans, mais ils le font de façon entièrement spontanée. Imposer tant de règles et de règlements avant cet âge a pour conséquence de restreindre et de limiter la vitalité d'un enfant, sa spontanéité et sa grâce.

La capacité des Japonais et d'autres peuples orientaux de voir en l'enfant un être innocent provient de leur profond respect pour la nature. Si nous vivons en harmonie avec la nature et avec nous-même, nous pouvons vivre en harmonie avec nos enfants. Les peuples occidentaux, en revanche, tentent de subordonner la nature. Si nous exploitons la nature, nous exploiterons inévitablement nos enfants.

Cependant, les Orientaux s'occidentalisent au fur et à mesure que leur économie s'industrialise. Une société industrielle est fondée sur le pouvoir – au départ le pouvoir de faire – mais celui-ci devient le pouvoir de contrôler. La relation de l'Homme à la nature se transforme avec le pouvoir. Le contrôle remplace l'idée d'harmonie et l'exploitation celle du respect. Il y a contradiction entre avoir le pouvoir et vouloir en même temps trouver l'harmonie. Les Orientaux vont inévitablement souffrir des mêmes perturbations émotionnelles que les Occidentaux : l'anxiété, la dépression et la perte de grâce.

Malheureusement, on ne peut revenir en arrière. L'innocence perdue ne peut pas être retrouvée. C'est la raison pour laquelle les pratiques traditionnelles des philosophes orientaux ne peuvent résoudre les problèmes émotionnels auxquels nous sommes confrontés à notre époque. Aucune méditation, quelle que soit son ampleur, ne permettra à quelqu'un de pleurer si son impulsion de pleurer a été réprimée. Aucun exercice de yoga ne pourra faire se relâcher la tension dans les épaules d'un homme qui n'ose pas lever la main dans un geste de colère contre une personne d'autorité.

---

4. Pour une plus ample présentation des changements importants ayant lieu à cette période de la vie, voir Alexander Lowen : *La Peur de vivre*.

Cela ne signifie pas que la pratique de la méditation ou du yoga n'a aucun effet bénéfique. Il existe de nombreuses pratiques et de nombreux exercices qui sont bons pour la santé. Le massage, par exemple, est à la fois agréable et bénéfique. La danse, la natation et la marche sont des exercices que je recommande fortement. Mais pour rétablir la grâce, il faut comprendre comment elle a été perdue. En fin de compte, c'est une entreprise analytique.

Le fait que le corps est au centre de mes préoccupations devrait montrer clairement que par « analyse » je n'entends pas « psychanalyse ». On ne recouvre pas la grâce à parler de son vécu allongé sur un divan ou assis sur une chaise. De telles conversations sont certes nécessaires et apportent de l'aide, mais les tensions musculaires chroniques qui accompagnent la perte de la grâce doivent être affrontées sur le plan corporel. Et c'est justement ce que fait la bioénergie, une approche que j'ai élaborée et développée pendant plus de trente-cinq années. C'est une approche qui, d'une part intègre les positions occidentales et orientales et, d'autre part, utilise le pouvoir de l'esprit pour comprendre les tensions qui contraignent et brident le corps. Elle mobilise aussi l'énergie du corps pour éliminer ces tensions.

Le lien est le concept d'énergie, qui pénètre la pensée occidentale autant que la pensée orientale. L'énergie est la force qui se cache derrière l'esprit et qui est en conséquence le fondement de la spiritualité du corps. Utilisée consciemment, elle se transforme en pouvoir. Dans le chapitre suivant, nous examinerons les concepts orientaux et occidentaux d'énergie et nous montrerons comment la bioénergie intègre ces deux points de vue.

2

Le concept d'énergie

La caractéristique de la pensée religieuse orientale est d'associer l'esprit – ou spiritualité – et une conception énergétique du corps. Le hatha-yoga, par exemple, présuppose l'existence de deux énergies opposées : le *ha,* c'est-à-dire l'énergie du soleil, et le *tha,* c'est-à-dire celle de la lune. L'objectif du hatha-yoga est de réaliser l'équilibre entre ces deux forces. Selon Yesudian et Haich (1) : « Notre corps est traversé de courants négatifs et de courants positifs, et c'est leur parfait équilibre qui nous donne le sentiment d'être en excellente santé. » Il est facile de comprendre pourquoi les peuples *primitifs* considéraient le soleil et la lune comme des corps énergétiques, car tous deux exercent une influence directe sur la terre et la vie existant à sa surface. Dans la pensée chinoise, la santé dépend aussi du bon équilibre entre les énergies opposées, à savoir

1. Selva Yesudian et Elisabeth Haich : *Yoga and Health* (p. 21 ; Harper and Row, New York ; 1953).

le yin et le yang, l'un représentant l'énergie de la terre et l'autre l'énergie du ciel. L'acupuncture reconnaît tout un réseau de canaux dans lesquels coule cette énergie. En utilisant des aiguilles ou en pressant sur des points sélectionnés, le courant énergétique du corps peut être dirigé de façon à soigner des maladies et à rétablir la santé.

Une autre manière, pour les Chinois, de mobiliser l'énergie du corps pour recouvrer la santé consiste en un programme d'exercices spéciaux connus sous le nom de T'ai-chi chuan. Les mouvements du T'ai-chi sont en général exécutés lentement et en rythme, n'utilisant qu'un minimum de la force requise pour exécuter chaque posture. Selon Herman Kanz (2), « l'accent est porté sur la relaxation », ce qui « aide la circulation de l'énergie interne appelée *chi* en chinois et *ri* en japonais. Cette énergie se trouverait en réserve dans la région du bas abdomen. ». Je me référerai ultérieurement à ce livre pour ce qui concerne d'autres aspects de la pensée orientale sur la circulation de l'énergie corporelle.

La pensée occidentale voit en général l'énergie sous un aspect mécaniste et comme une donnée mesurable. Comme aucun instrument n'a été capable de mesurer une seule des énergies qui sont incontestables pour l'Orient, la pensée scientifique occidentale refuse d'admettre leur existence. Néanmoins, les organismes vivants réagissent à certaines manifestations de l'énergie corporelle d'une façon qui ne peut être celle de la machine. Par exemple, l'excitation ressentie par un amant lorsqu'il rencontre la personne aimée est une manifestation énergétique à laquelle aucun instrument n'est sensible. Le rayonnement d'une personne amoureuse de la vie elle-même est une autre manifestation énergétique qu'aucun instrument n'a pu enregistrer jusqu'à présent. (Même si certaines photographies de Kirlian ont prouvé l'existence d'une aura ou d'un rayonnement au-

2. Herman Kanz : *The Martial Spirit* (p. 42 ; The Overlook Press, Woodstock, New York ; 1977).

dessus de certaines parties du corps, personne n'a encore réussi à quantifier ce phénomène.)

Même avant que la pensée occidentale n'infuse – récemment – la culture orientale, certains ont remis en question la conception selon laquelle le corps ne serait qu'une machine biochimique complexe animée par un esprit nébuleux et anoblie par une âme métaphysique. En fait, Henri Bergson, auteur et philosophe du XIXe siècle, partait du principe qu'une force vitale – ou énergie – anime le corps, force qu'il désigna par le terme d'*élan vital*. Les interprètes du « vitalisme », nom qui fut donné à cette théorie, ne pouvaient accepter que le fonctionnement d'un organisme vivant puisse s'expliquer pleinement en termes de chimie ou de mécanique. Mais les méthodes et techniques d'investigation scientifique, devenant de plus en plus élaborées, révélèrent l'existence d'une base biochimique pour presque tous les actes et actions du corps, si bien qu'on en vint à considérer le *vitalisme* comme un concept métaphysique sans aucune réalité objective, ne pouvant donc servir à l'investigation scientifique.

La médecine moderne souscrit encore à cette théorie. Quand je commençai à étudier la médecine, à l'âge de 36 ans, j'avais déjà été l'élève de Wilhelm Reich et avais déjà derrière moi un certain nombre d'années de pratique en tant que thérapeute. Je voulais connaître le corps et ses maladies, mais désirais en même temps le comprendre sous un aspect humain. Plus précisément, je me demandais quel rôle les sentiments jouent dans la santé et la maladie, et de quelle façon on pouvait expliquer l'amour, le courage, la dignité et la beauté. Le savoir que j'acquis à l'Ecole de médecine s'avéra inestimable. Mais, malheureusement, jamais aucun des termes ci-dessus ne fut mentionné, et on n'en trouvait aucune référence dans les manuels médicaux. Même les émotions importantes telles que la peur, la colère et la tristesse n'y étaient pas examinées, étant considérées relever plutôt du domaine psychologique que du domaine physique. La douleur était examinée d'un point de vue neurologique et biochimique, mais le plaisir était par-delà les investigations, bien qu'il joue un rôle si important dans notre vie.

Le vide le plus important dans l'éducation médicale à l'époque, et qui demeure de nos jours quoique à un degré moindre, concerne la sexualité. Cependant, tous les médecins le savent, la fonction sexuelle revêt une grande importance dans la vie et la santé des gens. Celle de reproduction était parfaitement étudiée, mais la sexualité était passée sous silence parce qu'elle ne relève pas seulement d'un organe, mais met en jeu des sentiments qui font participer le corps entier. Nous allons voir qu'à travers l'étude de cette fonction, Reich parvient à une certaine compréhension du facteur énergétique dans le processus vital.

Comme nous le savons, la science médicale s'occupe en priorité des fonctions organiques. Les médecins doivent se spécialiser dans le traitement de différents systèmes, par exemple respiratoire, circulatoire ou digestif. La médecine occidentale n'est pas une science tenant compte de la personne entière. On pourrait penser qu'une telle science relèverait de la psychiatrie ou de la psychologie, mais ces disciplines se sont limitées à l'étude des processus mentaux et à leur influence sur le corps.

La conception selon laquelle les mécanismes mentaux relèvent d'un domaine – la psychologie – et les mécanismes physiques d'un autre – la médecine organique – nie l'unité ou l'intégralité de la personne. Une telle conception est la conséquence d'une dissociation entre l'esprit et le corps, et d'une limitation du premier au mental. Ce clivage a émasculé la psychiatrie et stérilisé la médecine. Nous ne pouvons venir à bout de cette rupture d'unité dans l'être humain qu'en rendant la psyché au corps. A l'origine, cette unité existait : selon le concept de l'origine du mouvement *(Arche kinéséos)* tel qu'il est présenté par Platon (3), l'âme – ou psyché – est définie comme étant le « principe à perpétuité au commencement et au commandement de tout ce qui se

3. Platon : *Le Dialogue de Phèdre.*

meut (4) ». C'est seulement plus tard qu'elle représentera « l'être spirituel distinct du corps ». Sa relation au corps est révélée par la racine du mot *psychein,* qui signifie respirer. Une vue holistique de l'organisme reconnaît que le corps est pénétré par un esprit, lui-même stimulé par sa psyché et conscient de ses actes.

Telle que définie plus haut, la psyché est un concept vitaliste, de sorte que la science n'a pu l'accepter et qu'elle l'a reléguée au royaume de la métaphysique. Néanmoins, c'est la psychologie appliquée, à savoir la psychanalyse, qui a ouvert la voie à une compréhension de l'esprit en tant que phénomène énergétique. Cette vue a débouché sur la sexualité, ignorée jusque-là par la médecine traditionnelle. Freud se retrouva face à face avec la sexualité lorsqu'il voulut comprendre le symptôme de l'hystérie, une maladie physique qui ne pouvait être expliquée par la science médicale et qui ne reçut d'explication psychologique valable qu'à la publication, par Freud, de son étude devenue classique sur le sujet. Il y montrait que l'hystérie est le résultat du transfert sur le plan physique d'un conflit psychique ayant son origine dans une expérience sexuelle traumatique. Mais ni Freud ni aucun autre psychanalyste n'ont pu expliquer la façon dont ce transfert s'effectue. La médecine psychosomatique, depuis lors, est comme ensorcelée par ce clivage entre psyché et soma et est incapable d'établir le lien entre eux.

Reich a établi ce lien grâce à un concept énergétique. Il a compris qu'un conflit se produisait en même temps sur les deux plans, psychique et somatique. Pour lui, la psyché et le soma étaient comme deux aspects d'un même mécanisme, l'un mental et l'autre physique, tout comme l'avers et l'envers d'une même pièce. Toute action exercée sur cette pièce affecte simultanément les deux faces. Mais l'esprit et le corps sont également deux fonctions qui agissent l'une sur l'autre en s'influençant mutuellement. Il nomma cette

---

4. Clémence Ramnoux : "La Psyché" (p. 22 ; *Nouvelle revue de psychanalyse* n° 12, Gallimard ; automne 1975).

conceptualisation : principe de l'unité et de l'antithèse psychosomatiques. Il y a unité à un niveau énergétique situé au plus profond de l'organisme ; mais il y a antithèse, ou opposition, au niveau phénoménal. Cette relation apparemment complexe peut être clairement représentée par un diagramme dialectique (fig. 1).

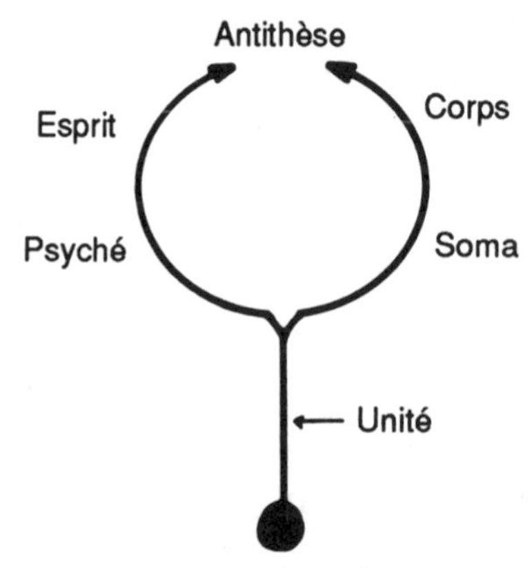

1. L'esprit et le corps vus par Reich, unis à un niveau très profond, mais opposés à un niveau plus superficiel.

La question qui se pose immédiatement concerne la nature de ce processus énergétique et de l'énergie en jeu. Reich considérait le processus énergétique en tant que pulsation (expansion et contraction, comme pour les battements du cœur) et en tant que propagation d'ondes d'excitation pouvant être ressenties comme des courants qui traversent le corps. Mais l'idée d'une énergie agissant dans le corps spécifiquement en tant que fonction sexuelle est de Freud. Il reconnaissait que d'autres troubles physiques, comme la neurasthénie, l'hypocondrie et l'anxiété, sont liés à une perturbation de la fonction sexuelle. Comme l'acte sexuel s'achève sur une décharge émotionnelle, il comprit que celle-ci était de nature énergétique et postula que la pulsion sexuelle est stimulée par la formation de l'énergie sexuelle, qu'il appela *libido*. Freud pensait, à l'origine, que cette libido était une énergie physique mais, incapable de prouver son existence, il la définit ultérieurement comme l'énergie mentale de la pulsion sexuelle. De cette façon, il accentuait le clivage entre le corps et l'esprit.

Contrairement à Freud, Jung considérait la libido comme la force énergétique qui est à la base de tous les mouvements et de toutes les fonctions du corps. Il cessa cependant de l'appeler force physique. Il fit ainsi de l'esprit, de la psyché et de la libido des concepts métaphysiques, et de la spiritualité un phénomène mental.

Reich conçut le concept original de la libido, présenté par Freud, comme une énergie physique, et réalisa quelques expériences pour montrer qu'elle pouvait être mesurée. Il démontra que la charge électrique à la surface d'une zone érogène (lèvres, bouts des seins et paumes des mains) augmentait quand la région était stimulée de façon agréable. Une stimulation douloureuse entraînait, au contraire, une diminution de cette charge. En outre, Reich montra que l'excitation agréable était associée à un plus fort afflux de sang vers la zone excitée, alors que la stimulation douloureuse s'associait à un retrait du fluide corporel (5).

Ces expériences permirent à Reich de résoudre le conflit entre les vitalistes et les mécanistes. Le lien entre une tumescence, un accroissement de la charge et la stimulation agréable ne s'établit pas dans la nature inanimée. Cependant, souligna-t-il, « la matière vivante fonctionne vraiment selon les mêmes lois physiques que la matière non vivante (6) ». Simplement, les lois opèrent différemment, puisque le corps vivant est un système d'énergie autoconservateur.

Mais, plus tard, Reich fut convaincu que le processus de vie mettait en jeu une énergie particulière. Il l'appela *orgone* et la proclama énergie primordiale de l'univers. Durant mes années d'association avec Reich, j'étais également convaincu de son existence. Je considère que l'énergie de vie est indubitablement tout autre qu'électromagnétique. Nous

---

5. Pour une présentation plus détaillée de ces expériences, voir Wilhelm Reich : *La Fonction de l'orgasme* (Arche ; 1986).

6. *Ibid.*

pouvons admettre que l'énergie est nécessaire au bon fonctionnement des rouages de la vie. Pour éviter les querelles qui pourraient surgir avec l'utilisation du terme d'*orgone,* ou de tout autre terme similaire, j'utiliserai celui de *bioénergie* chaque fois que je me référerai à l'énergie vitale. Puisque mon traitement est fondé sur une compréhension des processus énergétiques du corps, je l'appellerai analyse bioénergétique.

Je vais ici faire une digression expliquant ce qu'est l'analyse bioénergétique, afin que le lecteur puisse comprendre plus facilement ce qui va suivre. Dans cette analyse, la personnalité est présentée comme une structure pyramidale. Tout en haut, dans la tête, se situent l'esprit et l'ego. A la base, au niveau le plus bas du corps, se trouvent les processus énergétiques qui font agir la personne. Ces processus produisent des mouvements qui aboutissent à des sentiments – ou sensations – et à des pensées. La relation entre ces éléments est montrée sur la figure 2.

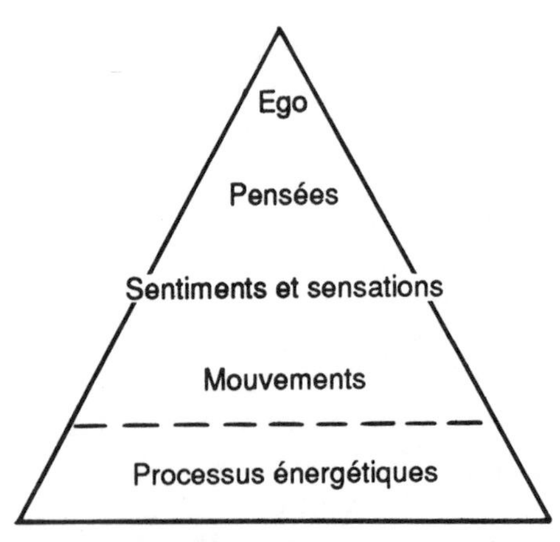

2. Hiérarchie de la personnalité.

Les pointillés entre les différents niveaux de la personnalité indiquent l'interrelation entre ces différentes couches. Dans l'analyse bioénergétique, chaque niveau est étudié pour permettre de comprendre la personnalité. En raison de leur importance critique, à la base de la pyramide, les processus énergétiques sont un domaine sur lequel nous devons particulièrement nous concentrer. La quantité d'énergie dont dispose une personne et la façon dont elle en use sont soumises à une constante évaluation.

Nous savons que l'énergie est produite dans le corps par des réactions chimiques engagées dans le métabolisme de la nourriture. Bien que la chimie de ce métabolisme soit très complexe, elle est similaire dans son essence à la transformation du fuel en énergie.

F (fuel ou food : nourriture) + O_2 → CO_2 + *E* (énergie).

Ce qui distingue les organismes vivants de la nature inanimée est le maintien de ce processus dans une membrane qui évite que l'énergie produite ne se disperse et ne se perde dans l'environnement afin qu'elle soit à la place utilisée par l'organisme pour assurer ses fonctions vitales. Une des fonctions principales de cette opération est la prise, dans l'environnement, des ingrédients nécessaires à la production constante d'énergie. Cela implique que la membrane soit perméable à la nourriture et à l'oxygène qui doivent y entrer, ainsi qu'aux produits usés du métabolisme qui doivent être éliminés. Pour les organismes plus complexes que les bactéries et lesdits animaux unicellulaires, ce processus implique de rechercher activement la nourriture nécessaire. Les mouvements de l'organisme ne peuvent cependant pas s'effectuer au hasard. Ils doivent être guidés par une certaine sensibilité à l'environnement. Un des plus brillants étudiants du fonctionnement des protoplasmes fit la remarque suivante : « Le protoplasme n'est peut-être pas intelligent, mais il agit de façon intelligente (7). » Cette expression signifie s'ouvrir et se tendre vers la nourriture, l'amour et les contacts

7. William E. Seifritz : conférence illustrée par un film, faite à l'Université de Pennsylvanie (1954).

agréables et se rétracter en cas de danger ou de douleur. Ce processus n'est cependant pas mécanique ; chaque organisme est constamment en train de tester son environnement et de le mettre à l'épreuve. Cette tension vers l'extérieur et ce retrait font partie d'une activité pulsatile endogène qui inclut les battements du cœur, les mouvements des poumons vers le bas et vers le haut ainsi que l'action péristaltique de l'appareil digestif. Toutes ces activités sont provoquées par un état d'excitation dans chaque cellule et chaque organe du corps. La vie peut ainsi être définie comme un état d'excitation contenue produisant l'énergie nécessaire aux processus endogènes qui alimentent à la fois les fonctions vitales et les actes ou actions exogènes maintenant ou intensifiant l'excitation de l'organisme.

Nous commençons notre vie avec un considérable potentiel d'excitabilité qui diminue ensuite, progressivement, lorsque nous vieillissons. Je suis convaincu que cette perte d'excitabilité avec l'âge s'explique par le fait que le corps se structure – et se rigidifie – avec le temps. Il est possible qu'une personne âgée soit même si figée dans ses attitudes qu'elle ne puisse à peine bouger. Je ne me rappelle pas avoir jamais vu une personne âgée sauter de joie comme un jeune enfant. C'est dans le corps des enfants qu'on trouve le plus de spiritualité, car ils sont beaucoup plus sensibles que nous à leur environnement et à leur entourage. Pour les personnes âgées, cependant, cette spiritualité se situe plus au niveau de la conscience, car elles perçoivent beaucoup mieux leur lien avec le monde. Le concept de spiritualité du corps inclut un esprit de domination ainsi qu'une forte conscience d'union spirituelle.

Le processus qui consiste à établir des liens avec le monde extérieur est de nature énergétique. Pour vous représenter la façon dont ces liens s'établissent entre deux personnes, considérez deux diapasons accordés sur la même fréquence. Quand ils sont proches, il suffit d'en toucher un pour faire vibrer l'autre. Un concept analogue explique la relation entre deux personnes profondément amoureuses. L'image de deux cœurs qui battent à l'unisson n'est peut-être pas une pure métaphore. Comme nous l'avons vu, nos cœurs et nos corps sont des systèmes pulsatiles qui produisent et envoient des ondes – ondes qui peuvent affecter d'autres corps et d'autres cœurs. La capacité d'une mère de ressentir ce qui se passe chez son enfant dépend du type de relation existant entre eux.

Le sentiment d'union avec l'universel peut être ressenti soit en perdant le sens du moi, soit en l'abandonnant ou en le transcendant. Le sens du moi – appelé aussi ego – correspond aux frontières qui créent le moi individuel. A l'intérieur de ces frontières existe un système énergétique capable de s'automaintenir et dont la caractéristique principale est l'état d'excitation. Sur les figures 3 A à 3 C, je montre l'organisme comme un cercle contenant un noyau – ou cœur – qui insuffle de l'énergie. Sans cette frontière, ni le moi ni la conscience n'existeraient.

La figure 3 A montre l'interaction énergétique normale entre un organisme et son environnement lorsque cet organisme ressent plaisir ou douleur. L'ego joue le rôle d'un médiateur dans cette interaction, soit dans un but d'autopréservation (quand l'organisme affronte un stimulus douloureux) ou encore dans celui de l'accomplissement (quand il s'agit d'un stimulus agréable).

La figure 3 B montre la façon dont des ondes d'excitation, provenant du noyau ou cœur, pénètrent le monde lorsqu'il y a renoncement à l'ego. A ce moment-là, le moi n'est plus divisé. Une telle expérience, qui peut être atteinte par une profonde méditation, aboutit à un état de calme et de paix.

Sur la figure 3 C, l'excitation intérieure devient si forte que les ondes qu'elle produit – comme dans l'orgasme ou dans tout autre type d'excitation plaisante – submergent l'ego et irradient hors des limites du moi. La personne ressent alors un sentiment d'unité avec le cosmos, qui n'est cependant pas un sentiment de paix, mais d'extase.

Abordons à présent les aspects pratiques de cette discussion sur l'énergie. Le problème de santé le plus répandu dans

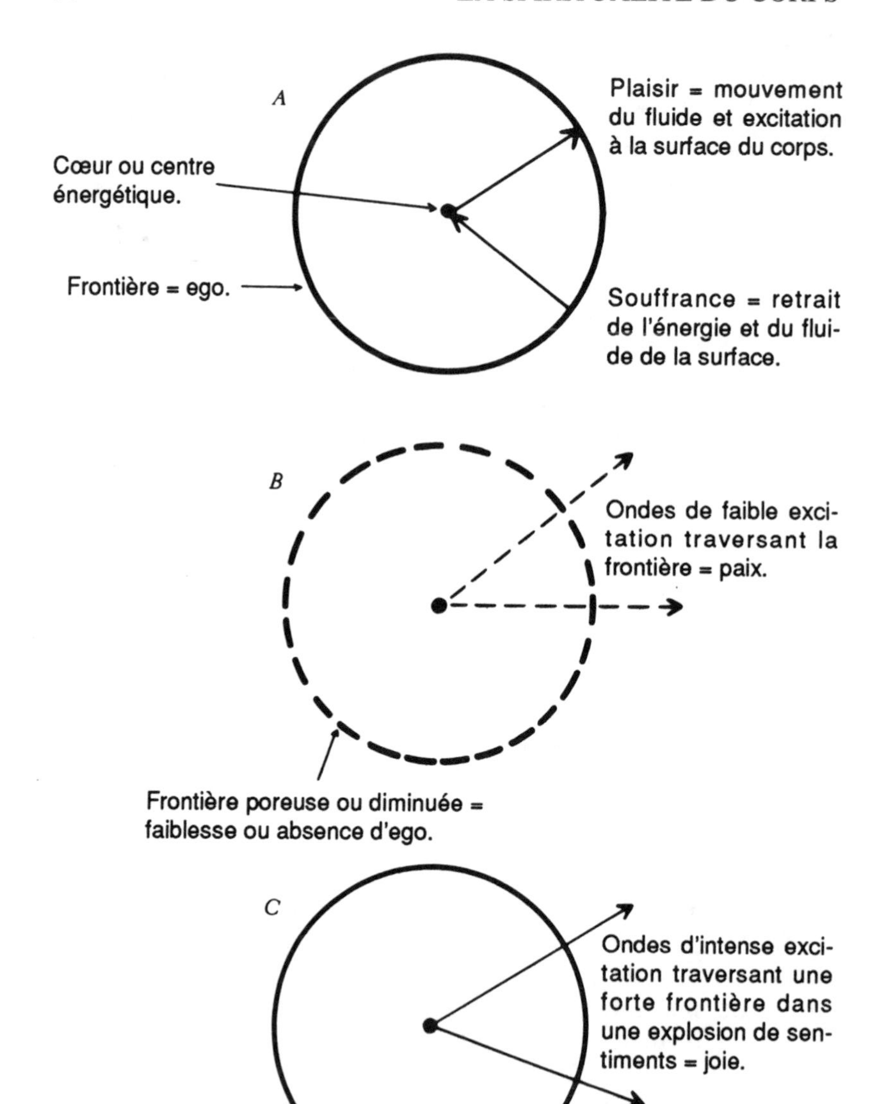

3. Les mécanismes énergétiques du corps.
A. Réaction normale au plaisir et à la souffrance.
B. Mécanisme énergétique lorsqu'il y a renoncement de l'ego.
C. Mécanisme énergétique lorsque l'excitation augmente.

notre culture est la dépression. Il est difficile de jauger son incidence, car il n'existe aucun critère objectif de dépression, excepté dans sa forme la plus grave. Une personne cliniquement déprimée peut rester sans bouger au lit ou rester assise distraitement sur une chaise, n'exprimant aucun désir de prendre une part active à la vie. Un sentiment de désespoir est dans certains cas une caractéristique importante de la dépression. Dans d'autres cas, la dépression peut se combiner avec l'anxiété ou alterner avec des périodes d'hyperactivité. Quand les sautes d'humeur prédominent, on parle de maniaco-dépression ou de trouble bipolaire. Il est alors manifeste que la personne évolue entre des phases de surexcitation et des phases de « sous-excitation ». Il est alors facile de reconnaître une phase de grave dépression, tandis qu'une légère dépression passe souvent inaperçue. Quelqu'un peut se plaindre de fatigue et attribuer la diminution de ses désirs – un autre symptôme de la dépression – à la fatigue.

Mais s'il prend plus de repos et se sent encore fatigué, le diagnostic exact est : dépression. Comme les patients se découvrent eux-mêmes par le biais de la thérapie, on peut souvent entendre la remarque : « Je m'aperçois avoir été déprimé pendant pratiquement toute ma vie. » Comment ont-ils pu ne pas s'en rendre compte ? La réponse est simple. Ils faisaient en sorte d'être toujours occupés. Bon nombre de mes patients ont admis que leur activité était une défense contre la dépression ; quand ils se sentent légèrement déprimés, ils s'embarquent pour un nouveau projet. Une activité intéressante peut exciter une personne autant psychologiquement que physiquement, si bien que le niveau de son énergie va monter mais, tôt ou tard, la dépression réapparaîtra.

Le traumatisme spécifique qui prédispose une personne à la dépression est la perte d'amour (8). Un enfant privé de contact affectif avec sa mère ou un substitut de mère peut

---

8. Pour une analyse complète des causes et traitements de la dépression, voir Alexander Lowen : *La Dépression nerveuse et le corps.*

entrer dans un état de dépression anaclitique et mourir. Jeune ou vieux, nous avons tous besoin d'une relation d'amour pour maintenir l'excitabilité de notre corps. Les personnes âgées qui perdent un compagnon aimé perdent souvent le désir de vivre. La plupart des adultes sont capables de se tendre vers un grand nombre de personnes différentes pour satisfaire leur besoin de se sentir en relation, mais les très jeunes et les très âgés sont limités dans leur capacité d'établir des liens affectifs. De même, le sentiment d'être en relation avec quelqu'un est absolument vital pour leur santé.

Même avant la naissance, l'enfant est en étroite relation avec sa mère. Dans le ventre de cette dernière, la relation est physiquement la plus intime possible. Une fois né, l'enfant cherche à reproduire cette chaleur sur le sein de sa mère ou dans ses bras. Ces relations sont vitales pour un bébé. En excitant son corps, elles stimulent sa respiration et ses fonctions digestives. Durant toute la vie, l'intimité physique agréable continue à avoir un effet positif, renouvelant l'enthousiasme individuel et la force vitale.

La perte d'une relation affective est souvent vécue comme une constriction douloureuse dans la poitrine ou donne l'impression que le cœur se brise. Tous, exceptés les très jeunes enfants, peuvent se remettre d'une telle perte et soulager la contraction en ayant du chagrin ou en portant le deuil. Le processus du deuil implique des pleurs ou des lamentations qui interrompent la pression due à la contraction et rendent au corps une certaine souplesse. Comme les battements du cœur redeviennent forts, des ondes d'excitation atteignent la surface du corps et se répandent à l'extérieur. En excitant d'autres corps, de telles ondes servent à établir une relation énergétique entre eux.

Malheureusement, les jeunes enfants ayant subi une perte affective ne peuvent se remettre de ses effets tant qu'une nouvelle relation d'amour n'est pas établie. Le soulagement apporté par les pleurs n'est que temporaire. Un jeune enfant a besoin d'une telle relation pour maintenir la force des pulsations de son corps. Le plus souvent, la perte de l'amour n'est pas due à la mort ou à la disparition de la mère, mais à l'incapacité de cette dernière de répondre à la demande continuelle d'amour de la part de l'enfant. La mère a peut-être elle-même été une enfant privée de l'amour de sa mère et en a souffert. Un père énergique, vigoureux et en bonne santé est éventuellement en mesure de répondre au besoin de l'enfant, mais il n'est pas un substitut totalement satisfaisant, même s'il peut adoucir la souffrance d'un chagrin. Dans la plupart des cas, cependant, la perte de l'amour de la mère brise le cœur de l'enfant et persiste pendant la vie entière sous la forme d'une contraction chronique dans la poitrine qui restreint la respiration. En diminuant l'apport d'oxygène disponible, une telle tension chronique amoindrit les élans du métabolisme et réduit la production personnelle d'énergie.

Une personne ne peut pas élever le niveau de son énergie uniquement en augmentant sa consommation de nourriture et/ou d'oxygène. S'il n'y a pas demande accrue d'énergie par le corps, la nourriture va être emmagasinée sous la forme de graisse et l'excès d'oxygène aboutira à une hyperventilation. L'organisme doit maintenir un équilibre entre la charge et la décharge, la production et l'utilisation d'énergie. La demande contrôle l'équivalence entre la charge et la décharge. Le seul moyen d'élever le niveau énergétique de base est de faire exprimer ses sentiments à la personne pour rendre son corps plus vivant. Un manque de vitalité est toujours la conséquence de sentiments réprimés.

Un des effets surprenants d'une diminution de l'énergie est une activité accrue, généralement en vue de recevoir de l'amour. La plupart des enfants ayant souffert d'une perte d'amour croient que cette perte leur incombe : ils ne sont pas dignes d'être aimés. De nombreuses mères instillent cette culpabilité en reprochant à leur enfant d'être trop exigeant, trop vivant, trop désobéissant, trop malheureux… d'être *trop*. Il comprend rapidement qu'il doit se conformer à la demande de sa mère s'il veut obtenir un tant soit peu d'amour. Cette conviction que l'amour se gagne persiste généralement pendant la vie adulte et elle s'y manifeste sous deux formes : la pulsion d'accomplissement et le besoin de succès. Une telle attitude est le propre du type de personnalité A, caractérisé par une pulsion exagérée à prouver sa valeur, doublée d'une colère contenue, qui se manifeste par une constante irritabilité. L'attitude de type A est un facteur majeur qui prédispose l'individu à la dépression ou aux maladies de cœur (9). Mais cette attitude est également largement responsable de la fatigue chronique endémique à notre culture.

Malheureusement, la plupart des gens sont tout le temps fatigués. Confrontés aux tensions de la vie, ils sont persuadés que le seul moyen de survivre est de continuer à se comporter comme par le passé. Le fait de se sentir fatigué fait surgir la peur profonde de ne plus être capable de lutter. Nombreux sont ceux qui ne peuvent dire : « Je ne peux pas. » Lorsqu'ils étaient enfants, on leur a enseigné que là où il y a volonté, il y a possibilité. Dire : « Je ne peux pas » signifie admettre leur échec, qui est considéré comme la preuve évidente qu'ils ne sont pas dignes d'être aimés.

Il existe aussi une cause physique à l'accroissement de l'activité quand le moral ou l'énergie d'une personne sont très bas. Alors qu'il est possible d'acquérir de l'énergie en se relaxant, il est impossible de se relaxer quand le niveau d'énergie est trop bas, car le relâchement de la tension musculaire nécessite de l'énergie. Il est facile d'illustrer et d'expliquer cet état de choses qui n'est généralement pas reconnu.

Un muscle qui se contracte effectue un travail, ce qui consomme de l'énergie. Mais, étant contracté, il ne peut pas travailler plus. Développer le muscle de telle façon qu'il puisse exécuter un autre mouvement implique que l'énergie soit produite par les cellules de ce muscle. Cela implique à son tour l'introduction d'oxygène et l'évacuation d'acide

---

9. Meyer Friedman et Ray H. Rosenman : *Type A Behavior and Your Heart* (Fawcett, New york ; 1981) ; Alexandre Lowen : *Le Cœur passionnément : symbolique et physiologie de l'amour.*

lactique. La figure 4 illustre ce principe de l'action musculaire.

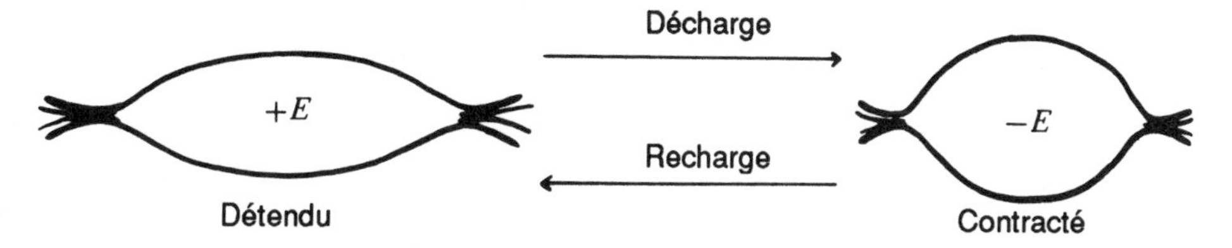

4. **Energie contenue dans un muscle.**
Le muscle relâché est chargé en énergie et développé, alors que le muscle contracté, ayant perdu son énergie en travaillant, est comprimé.

Considérez un muscle en état d'expansion comme un muscle dans lequel un ressort a été tendu. Il est à présent chargé d'énergie. Lorsqu'un muscle se contracte pour travailler, il devient plus court et plus dur. Quand l'énergie est dépensée, le ressort est déchargé. Il se reconstitue et se relâche en augmentant sa charge énergétique, qui tend de nouveau le ressort et lui permet ainsi de continuer à travailler.

Une personne épuisée, dont le niveau d'énergie est bas, peut facilement être blessée, tout comme une personne qui est dans un état maniaco-dépressif et dont l'hyperexcitabilité et l'hyperactivité annoncent un début de dépression. L'exemple le plus incontestable de cette situation est l'enfant agité et remuant qui, en dépit de son épuisement, ne peut ni se calmer ni dormir. Finalement, en désespoir de cause, ses parents en arrivent à le réprimander en criant ou même à le secouer pour le calmer. L'enfant réagira en éclatant en sanglots, ce à quoi les parents répondront en le prenant dans leurs bras et en l'apaisant. Après une bonne crise de larmes, l'enfant s'endormira. Les pleurs ont comme effet d'approfondir sa respiration, ce qui lui apporte l'énergie nécessaire pour se détendre.

Une personne pleine d'énergie n'est pas facilement surexcitée, car son corps, grâce à sa musculature détendue, est capable de retenir ou contenir une charge élevée d'énergie. En conséquence, ses mouvements sont lents, aisés et gracieux. De façon analogue à une voiture très puissante qui monte facilement une colline, une personne pleine d'énergie évolue dans la vie avec un minimum d'efforts. C'est seulement dans une situation critique que ses efforts transparaissent ; mais même dans ce cas, elle dispose d'une réserve suffisante d'énergie pour donner une impression d'aisance et de facilité.

D'autres aspects du corps reflètent également sa charge en énergie. Les yeux sont peut-être le meilleur indicateur de la vitalité du corps. Ils ont été présentés comme les fenêtres de l'âme, mais sont également les fenêtres du corps. En tant que telles, ils révèlent la flamme intérieure d'un individu. Quand ce feu brûle, la flamme est éclatante et brille dans les yeux qui l'exhalent. Quand une personne est amoureuse, par exemple, ses yeux brillent, reflétant sa forte charge énergétique. Les yeux révèlent donc les sentiments. Ils pétillent chez une personne joyeuse, étincellent quand elle est heureuse et perdent leur éclat quand elle est déprimée. Les yeux occupent une telle place dans la vie des gens que nous allons leur consacrer ultérieurement toute une partie de ce livre.

La qualité de la peau est un autre signe du degré de vitalité du corps. Que leur peau soit foncée ou claire, les personnes pleines d'énergie ont un teint rose ou rosé, car leur peau est imbibée de sang. Un teint gris, blanc, jaune ou brunâtre indique que la surface du corps est insuffisamment chargée en énergie et que la circulation du sang en direction de la peau s'est ralentie. De la même façon, une peau rêche, sèche ou froide est un signe de perturbation à la fois au niveau de l'énergie et au niveau de la circulation. Ces troubles ont également une signification sur le plan émotionnel. En cas de peur, par exemple, le sang se retire de la surface de la peau, laissant celle-ci blanche et froide, voire moite. La chair de poule – une autre manifestation de la peur – apparaît quand les fibres élastiques de la peau se contractent, faisant en sorte que les follicules des poils se dressent.

Le corps est façonné par son vécu. La peau que vous aimez toucher a été touchée avec amour dans l'enfance. La réponse normale du corps à un contact d'amour consiste en une expansion accompagnée d'une excitation agréable. Privé du contact d'amour, le corps d'un bébé va rétrécir et devenir froid. Son excitabilité est diminuée et sa pulsion intérieure réduite. Chez une personne en bonne santé, cette pulsion existe et elle est forte et consistante, l'incitant à se tendre vers l'extérieur et à créer des relations d'affection et d'amour avec tout son entourage et avec tout ce qui constitue son environnement. Il est rare de rencontrer de telles personnes dans notre culture, qui ne sait pas voir la spiritualité inhérente au besoin qu'a le corps de se tendre vers autrui. Le questionnaire qui suit, et qui porte sur la conscience, va vous aider à évaluer votre énergie et à vous rendre plus conscient de son fonctionnement. Comment évaluez-vous votre niveau d'énergie : bas ou élevé ?

Questionnaire sur la conscience

Indicateurs d'un niveau d'énergie peu élevé :

a) Vous sentez-vous fatigué ?
b) Vous est-il difficile de vous lever le matin ? Vous sentez-vous fatigué en vous levant ?
c) Vous sentez-vous tourmenté, harcelé ou continuellement sous pression ?
d) Etes-vous toujours sur la brèche ?
e) Eprouvez-vous des difficultés à vous détendre, à rester assis ?
f) Vos mouvements sont-ils lents et aisés, ou rapides et précipités ?
g) Avez-vous des difficultés à vous endormir ?
h) Vous sentez-vous parfois déprimé ?

Indicateurs d'un niveau d'énergie élevé :

a) Dormez-vous bien, vous réveillant frais et dispos ?
b) Vos yeux brillent-ils ?
c) Eprouvez-vous du plaisir dans vos activités normales ?
d) Attendez-vous impatiemment chaque nouveau jour ?
e) Appréciez-vous la tranquillité ?
f) Vos mouvements sont-ils gracieux ?

Ce livre a pour objectif de vous aider à comprendre votre corps en tant que « manifestation extérieure » de votre esprit. Comprendre implique à la fois connaître et ressentir. Dans les chapitres suivants, nous allons examiner les facteurs qui contribuent à votre état énergétique et voir aussi quelques exercices qui vont vous aider à sentir la différence lorsque votre corps se meut de façon plus vivante, plus gracieuse.

3

La respiration

Le droit d'être une personne commence avec notre première respiration. La façon dont nous respirons reflète notre degré de conscience de ce droit. Si nous respirions aussi bien que les animaux, nous atteindrions un niveau énergétique élevé et souffririons rarement de fatigue ou de dépression chronique. Mais, dans notre culture, la plupart des gens respirent superficiellement et ont tendance à retenir leur respiration. Le pire est leur manque de conscience de ce problème. Au lieu de respirer, ils traversent leur vie en courant, s'arrêtant occasionnellement pour se dire les uns aux autres qu'« ils ont à peine le temps de respirer » !

Actuellement, la plupart des programmes d'exercices soulignent le besoin de respirer profondément ; le yoga a d'ailleurs longtemps inclus les exercices de respiration dans l'entraînement physique et spirituel. Mais les exercices de respiration, aussi valables soient-ils, n'expliquent pas pourquoi les gens ont tant de peine à respirer naturellement. Nous allons traiter ce problème dans ce chapitre, mais il nous faut d'abord comprendre la dynamique de la respiration.

Nous savons tous que la respiration apporte à l'organisme l'oxygène nécessaire à l'entretien des « feux » du métabolisme. Malheureusement, le corps ne peut emmagasiner l'oxygène en quantité suffisante pour empêcher la mort au cas où la respiration s'arrêterait pendant plusieurs minutes. (Il est en revanche possible de survivre sans eau pendant plusieurs jours et sans nourriture pendant plusieurs mois.) Mais respirer n'est pas seulement une opération mécanique. C'est un aspect du rythme fondamental d'expansion et de contraction du corps, qui trouve également son expression dans les battements du cœur. Plus encore, la respiration est une expression de la spiritualité du corps. Dans la Bible, il est établi que pour créer l'Homme « Dieu prit un morceau d'argile et lui insuffla dans ses narines une haleine de vie et l'Homme devint un être vivant (1) ». L'idée que l'air contient des forces essentielles à la vie est aussi un élément important de la philosophie hindoue ; elle appelle cet élément *prana.* L'air est une force tellement vitale qu'il a le pouvoir de faire s'enflammer une substance inerte comme le bois. Il possède cette même propriété dans l'organisme vivant.

La respiration est en relation directe avec l'état d'excitation du corps. Lorsque nous sommes calme et détendu, notre respiration est lente et aisée. Dans un état de forte émotion, la respiration devient plus rapide et intense. Lorsque nous avons peur, nous inspirons violemment et retenons notre souffle. Lorsque nous sommes tendu, la respiration devient superficielle. L'inverse est également vrai. Une respiration plus profonde sert à relaxer le corps.

J'eus ma première expérience du rapport entre la tension et la respiration lorsque je préparais mon admission à l'université. J'étais dans un champ de tir à m'exercer, mais j'avais beau essayer, mes coups manquaient toujours la

---

1. *La Genèse :* "La Bible de Jérusalem".

cible. Un instructeur qui m'observait me suggéra d'inspirer trois fois profondément et de presser la détente lentement à la troisième expiration. Tant que je retiendrais ma respiration au moment de tirer, m'a-t-il dit, mon corps serait tendu et ma main tremblerait. Je constatai à l'essai suivant qu'il avait raison. Cette expérience m'impressionna, mais je n'entrepris rien dans ce sens jusqu'à ma thérapie avec Wilhelm Reich. Celle-ci me fit prendre conscience que je retenais souvent mon souffle, une tendance que je pus contrecarrer en me concentrant sur ma respiration. Au cours d'un traitement dentaire, j'eus souvent l'occasion de constater la valeur de cette concentration sur la respiration. Etendu sur la chaise, je tâche de respirer aisément et profondément, tout en me détendant au maximum. A moins que le dentiste ne perce dans une zone particulièrement sensible, la douleur reste très supportable et aucune piqûre de novocaïne n'est nécessaire. Pendant les années qui suivirent ma thérapie avec Reich, je travaillais sur ma respiration, tout d'abord en prenant de plus en plus conscience de celle-ci, puis en exécutant les exercices bioénergétiques décrits plus loin dans ce chapitre. La différence entre ces exercices et des exercices ordinaires sur la respiration réside dans le fait qu'ils encouragent un type de respiration profonde plus naturelle, plus involontaire. Je ne soulignerai jamais assez la valeur de ce travail pour moi. Il a contribué à ma bonne santé, étayé ma vie et m'a permis de fonctionner plus librement et plus facilement en toute situation de stress. Il s'est avéré particulièrement précieux lorsque j'ai commencé à parler en public, me rendant capable d'éviter la tension qui naît lorsqu'on s'adresse à un large auditoire.

Il est important de faire attention à la respiration, de remarquer si on respire par la bouche ou par le nez, ou si on retient sa respiration. Soupirer est une indication sérieuse, car c'est la manifestation inconsciente d'une retenue du souffle. La respiration normale est un phénomène audible qui le devient encore plus pendant le sommeil. La personne qui respire de façon presque inaudible inhibe fortement sa respiration.

Contrairement au soupir qui entraîne une sortie d'air, le bâillement entraîne une entrée d'air. Signe de fatigue ou d'assoupissement, il se produit quand une personne a besoin de refaire le plein d'énergie. Le bâillement est également un signe d'ennui. Quand une situation est excitante et stimulante, notre respiration est forte et notre énergie s'accroît.

La respiration naturelle – c'est-à-dire la façon dont un enfant ou un animal respire – fait participer le corps entier. Toutes les parties du corps ne sont pas activement engagées, mais chacune d'entre elles est plus ou moins affectée par les ondes respiratoires qui se propagent dans le corps. Quand nous inspirons, les ondes partent du plus profond de la cavité abdominale et se répandent jusqu'à la tête. Quand nous expirons, les ondes vont de la tête aux pieds. Il est facile d'observer ces ondes, de même que toute perturbation dans le processus de la respiration. Une interruption de l'onde au niveau du nombril ou des os du bassin est une perturbation. Elle empêche l'onde de faire intervenir le pelvis ou la cavité abdominale profonde dans le processus de respiration et le résultat en est une respiration superficielle. La respiration profonde fait intervenir la cavité abdominale inférieure qui se gonfle à l'inspiration et se dégonfle à l'expiration. Cette idée est peut-être troublante, puisque l'air n'entre en réalité jamais dans la cavité abdominale ; cependant, quand nous respirons profondément, l'expansion de la cavité abdominale inférieure permet aux poumons de se gonfler plus facilement et plus pleinement. Comme ce mouvement rend possible une plus grande expansion des poumons, la respiration est à la fois plus aisée et plus ample. Tous les jeunes enfants respirent de cette façon.

Dans la respiration superficielle, les mouvements respiratoires sont limités au thorax et à la zone du diaphragme. Le mouvement du diaphragme vers le bas est restreint, entraînant obligatoirement l'expansion des poumons vers l'extérieur. Cela crée une tension du corps, puisque l'expansion de la cage thoracique, rigide, exige un effort plus grand que l'expansion de la cavité abdominale. Il est permis de se demander pourquoi c'est le mode respiratoire le plus répandu, dans la mesure où il exige plus de travail et laisse pénétrer moins d'oxygène. La réponse à cette question réside dans la compréhension du rapport existant entre la respiration et la sensation.

Respirer profondément signifie ressentir profondément. Si nous respirons profondément, jusqu'à la cavité abdominale, cette zone prend vie. En ne respirant pas profondément, nous supprimons des sentiments ou sensations qui sont en liaison avec l'abdomen. Un de ces sentiments est la souffrance, puisque l'abdomen participe aux « pleurs profonds ». Nous appellerons de tels pleurs « pleurs abdominaux ». Les pleurs abdominaux atteignent une profondeur dans la souffrance qui, dans bon nombre de cas, touche au désespoir. Très tôt dans leur vie, les enfants apprennent qu'en rentrant le ventre et en le serrant, ils peuvent mettre fin à des sentiments pénibles de souffrance et de douleur.

Il peut sembler élégant et seyant d'avoir un ventre plat. Les magazines montrent des mannequins aux ventres plats et rentrés pour souligner leur jeunesse. Mais cette platitude dénote aussi une absence de plénitude dans la vie. Quand en parlant d'une chose nous la qualifions de plate, nous entendons par là qu'elle est incolore, insipide et n'a rien de stimulant. J'ai souvent entendu les gens au ventre plat se plaindre de vide intérieur. Une absence de sensation dans cette partie du corps signifie en outre l'absence de sensations sexuelles agréables, de chaleur et de douceur dans le pelvis. Chez un tel individu, l'excitation sexuelle se limite principalement aux organes génitaux. Le problème provient de la répression des sensations sexuelles pendant l'enfance. Si on fait pression sur le ventre avec le poing, on sent une absence de résistance, comme s'il y avait un trou dans le bas abdomen. On ne sent pas ce creux quand le ventre est plein et rond. Au cas où on sent ce creux, il est nécessaire de faire respirer profondément la personne jusqu'à l'abdomen pour ramener vie et sensation dans cette partie de son corps. Même quand quelqu'un prend conscience qu'il ne respire pas profondément, il lui faut des exercices spéciaux afin d'activer sa respiration ventrale. Une méthode est de l'amener à respirer contre la main posée sur l'abdomen. Dans le traitement de l'emphysème, une maladie respiratoire grave, on dit souvent aux patients de respirer en direction d'un poids placé sur l'abdomen ; ils doivent le soulever pendant l'inhalation et le laisser tomber lentement pendant l'expiration. Une autre façon d'ouvrir complètement la respiration consiste à rester allongé sur le sol avec une couverture enroulée et posée sous la chute des reins, les genoux pliés et le fessier poussant contre le sol (2). Quelle que soit la méthode utilisée pour envoyer l'air suffisamment loin dans le pelvis, de sorte que la personne puisse ressentir la respiration dans le plancher pelvien, l'effet sera d'activer la sexualité et les sentiments refoulés de souffrance. Si nous sommes capables d'accepter ces sentiments et sensations – en particulier si nous sommes en mesure de pleurer profondément – le corps entier va devenir merveilleusement vivant. J'ai vu ce phénomène se produire chez de nombreux patients.

L'incident que je vais décrire ci-après m'a clairement prouvé l'importance de la plénitude ou du vide de l'abdomen. Un colley, que ma femme et moi avions depuis plusieurs années, donna naissance à quatorze chiots. Les quatre derniers étaient mort-nés, leur naissance ayant duré trop longtemps. Cependant, la chienne ne pouvait pas nourrir dix petits chiens d'un coup. Nous comprîmes rapidement que les plus forts buvaient tout le lait et que les plus faibles allaient mourir. Nous appelâmes un vétérinaire à la rescousse qui suggéra de permettre aux plus faibles de se nourrir d'abord, car il resterait ensuite encore assez de lait pour satisfaire les besoins des plus forts. Mais de quelle façon déterminer quels étaient les plus forts et quels étaient les plus faibles ? Nous

---

2. Pour une présentation et illustration complète de ces exercices, voir Alexander et Leslie Lowen : *La Bio-énergie*.

prîmes chaque chiot et tatâmes son ventre. Les bébés chiens dont le ventre semblait plein furent installés dans une première caisse, les autres dans une seconde. Les chiots de cette seconde caisse furent les premiers à avoir accès aux mamelles. Nous conformant à cette procédure, nous assurâmes la survie des dix chiots, qui devinrent tous des chiens magnifiques.

Il existe un autre type de maladie respiratoire, dans lequel la poitrine reste rigide et relativement immobile, et où la respiration se fait largement par le diaphragme, avec une faible extension dans l'abdomen. Dans ces conditions, la poitrine est trop gonflée, quelquefois au point d'en devenir cylindrique. Même si une poitrine cylindrique donne une apparence très virile, elle prédispose la personne à l'emphysème. Le surgonflement permanent de la poitrine tend et déchire les tissus très fins des poumons, si bien que l'oxygène absorbé par le sang est inutilisable en dépit des efforts laborieux et douloureux réalisés pour faire entrer de force plus d'air dans les poumons. Même quand le gonflement est moins extrême, il représente une menace sévère pour la santé, car la rigidité de la poitrine soumet le cœur à une pression énorme (3).

Ma plus importante expérience respiratoire eut lieu pendant ma première séance avec Wilhelm Reich. Reich avait observé dans sa pratique de psychanalyste que lorsqu'un patient retenait l'expression d'une pensée ou d'un sentiment, il retenait aussi sa respiration. C'était une forme de résistance, mais au lieu de montrer au patient sa résistance, Reich l'amenait à respirer librement. Dès que le patient ouvrait complètement sa respiration, il pouvait laisser libre cours à ses pensées et à ses sentiments. Après avoir, à maintes et maintes reprises, constaté ce phénomène, Reich commença à voir dans la respiration la clef même de la résistance consciente et inconsciente.

Donc, pendant ma première séance avec Reich, j'étais étendu sur un lit, vêtu seulement d'un short, pour mieux

---

3. Alexander Lowen : *Le Cœur passionnément : symbolique et physiologie de l'amour.*

observer ma respiration. Les seules instructions de Reich étaient de respirer. J'avais l'impression de respirer mais, au bout de dix minutes, il me dit : « Lowen, vous ne respirez pas. » Je répondis que je respirais bel et bien, sinon je serais mort. Il me répondit : « Mais votre poitrine ne bouge pas ! » Il me demanda de poser ma main sur sa poitrine pour la sentir se lever sur l'inspiration et s'abaisser sur l'expiration. Je constatai que ma poitrine ne bougeait pas autant que la sienne et décidai de mobiliser la mienne de façon à la faire bouger en même temps que ma respiration. C'est ce que je fis pendant plusieurs minutes, respirant par la bouche. Puis, Reich me demanda d'ouvrir grand les yeux. Lorsque je le fis, un hurlement m'échappa. J'entendis ce hurlement, mais m'en sentais détaché. Je ne ressentis aucun effroi, seulement de la surprise. Reich me demanda de cesser de hurler pour ne pas déranger les voisins ; ce que je fis. Je recommençai à respirer par la bouche et, au bout d'environ dix minutes, Reich me redemanda d'ouvrir grand mes yeux. Une seconde fois, le hurlement m'échappa et, pour la seconde fois, je l'entendis avec une sorte de détachement. En quittant le bureau de Reich, je compris avoir un problème profond dont je n'étais absolument pas conscient. Je compris aussi qu'une respiration profonde et libre avait le pouvoir d'atteindre et de libérer des sentiments réprimés (4).

Reich consacra les séances suivantes à des exercices de respiration profonde. Je dus d'abord lui faire part de toute pensée ou de tout sentiment négatif que je pouvais avoir à son égard. Il me demanda cela afin que se produise le transfert négatif inconscient, que nous puissions le voir, l'analyser et le dissiper. Après cette discussion initiale, je m'allongeai sur le lit et respirai. Je partageai avec Reich toute pensée qui me semblait importante. Le plus important, cependant, était de me laisser aller à la respiration naturelle. Lorsque je faisais un effort pour respirer profondément, il disait : « Ne respirez pas, laissez la respiration se produire. »

---

4. Alexander Lowen : *Bioenergetics* (Penguin, New york ; 1976).

Au début, cela me rendit perplexe, car j'essayais de suivre ses instructions le mieux possible. Bien sûr, il ne se produisit rien de dramatique. En respirant consciemment, je contrôlais inconsciemment le relâchement de mes sensations. Cependant, ma première séance m'avait convaincu du bien-fondé de l'approche de Reich : continuant la thérapie, je m'efforçais de laisser suivre son cours naturel à ma respiration.

Pendant le premier mois de la thérapie, j'expérimentais régulièrement la parasthésie, c'est-à-dire des symptômes d'hyperventilation. J'éprouvais un fourmillement dans les mains et les bras et, à une ou deux occasions, ressentis des picotements. Plusieurs fois mes mains devinrent glacées et furent prises d'un spasme carpien. Elles se transformèrent en serres d'oiseau et il me fut impossible de les remuer. Reich m'assura que ces symptômes passeraient et que ma respiration se calmerait ; ce qui se produisit effectivement.

La plupart des gens qui respirent profondément en position allongée développent les symptômes d'hyperventilation. L'explication physiologique de cette réaction est une trop grande libération de CO_2 dans le sang. Le traitement consiste à respirer dans un sac en papier de façon à ce qu'une partie du CO_2 soit réabsorbée. Etrangement, après un certain nombre de séances, les symptômes d'hyperventilation cessèrent complètement lorsque je laissais ma respiration devenir plus profonde et plus libre. Je finis par comprendre que le terme *hyper* était fonction de la profondeur de la respiration antérieure. Cela signifie qu'une respiration plus profonde qu'à l'accoutumée développe les symptômes d'hyperventilation. Quand le corps s'est habitué à une respiration plus profonde, une telle « ventilation » n'est plus ressentie comme « hyper ».

Une autre explication à ces symptômes est que la respiration charge le corps d'énergie. Si le corps n'est pas habitué à un certain degré de charge ou d'excitation, il se surchargera, ce qui est effrayant et douloureux. Si la charge supplémentaire n'est pas libérée, le corps se contractera, produisant les symptômes décrits ci-dessus. Mais, une fois que le patient est en mesure de tolérer une plus forte charge énergétique, le corps se sentira plus vivant ; c'est ce qui s'est produit pour moi lorsque je me relaxais pendant ma thérapie avec Reich. Il est également possible d'empêcher ou de réduire les symptômes d'hyperventilation en donnant des coups de pieds contre un lit ou en s'efforçant de se décharger de l'énergie en excès.

Lors de ma propre thérapie, il se produisit deux autres événements spectaculaires pendant que je respirais de façon continue et m'abandonnais à mon corps. Une fois, alors que j'étais allongé sur le lit en train de respirer, quelque chose me toucha, faisant balancer mon corps jusqu'à ce que je me retrouve assis sur le lit. Sans aucun effort ni pensée conscients, je me levai et restai un moment debout face au lit. Puis je me mis à le frapper des deux poings. Ce faisant, je vis le visage de mon père. Je compris que je le frappais parce qu'il m'avait giflé, un événement que j'avais complètement oublié. En voyant mon père quelque temps après, je lui demandai s'il m'avait jamais giflé. Il admit l'avoir effectivement fait une fois parce que ma mère s'était fait du souci à mon sujet : j'étais allé jouer et étais rentré tard le soir.

L'expérience de m'être levé spontanément du lit m'étonna profondément. Contrairement à la première séance avec Reich où j'avais hurlé sans aucun sentiment de peur, je ressentis cette fois toute la force de ma colère. Il est important de comprendre qu'aucun de mes actes ne se produisit consciemment. Quelque chose qui se situait à un niveau inférieur – au niveau du « ça », selon les termes de Freud – me poussait à agir. Le concept de l'action qui se fait sans la participation de la pensée consciente est au centre de la pratique et de la philosophie zen. Dans un rapport sur l'entraînement zen pour maîtriser l'art du tir à l'arc, Eugen Herrigel écrit que « l'on atteint l'endroit que l'on ne vise pas avec la flèche. C'est cette dernière qui déclenche le tir (5). ». Quelle est donc cette chose qui, bien qu'agissant en nous ou à

5. Eugen Herrigel : *Le Zen dans l'art chevaleresque du tir à l'arc* (Dervy-Livres ; 1988).

travers nous, n'est pas reconnue comme le moi ? C'est une force, mais une force semblant avoir un esprit propre et une conscience plus vaste et plus profonde que notre conscience. S'il nous faut la nommer, nous dirons simplement : l'esprit en nous qui nous fait agir.

En d'autres termes, expérimenter la spiritualité du corps ne dépend pas de l'action, mais de la sensation d'une force endogène supérieure au moi conscient.

L'autre tournant de ma thérapie se produisit un peu plus tard. Pendant une autre séance, alors que j'étais allongé sur le lit en train de respirer, j'avais l'impression distincte d'entrevoir une image sur le plafond. Au cours d'autres séances, cette prémonition se précisa. Puis l'image apparut. Je vis ma mère me regarder d'en haut, penchée sur moi avec une expression de colère. Je m'expérimentai âgé d'environ neuf mois, allongé dans un landau à l'extérieur de la maison. J'avais pleuré pour faire venir ma mère, mais mes pleurs avaient dû la déranger, peut-être parce qu'elle était occupée. En sortant, elle avait une expression si glaciale, si dure sur le visage que je me pétrifiai. Je compris alors que le hurlement que je n'avais pas poussé à ce moment-là avait été celui de ma première cession avec Reich. Il restait bloqué dans ma gorge, qui était si serrée que je ne pouvais ni hurler ni sangloter. De nombreuses années plus tard, une expérience dans un atelier que je dirigeais me permit de mieux comprendre encore. Un des participants suggéra de travailler sur mon corps afin de calmer certaines de mes tensions. Je me déclarai d'accord. J'étais étendu sur le sol et deux femmes travaillaient sur mon corps simultanément, l'une sur ma gorge serrée et l'autre sur mes pieds, deux zones fortement tendues. Je me souviens m'être senti impuissant et avoir ressenti à ce même moment une âpre douleur, comme si on me coupait la gorge en travers. Je sus que ma mère m'avait coupé la gorge au sens psychologique et qu'il m'était difficile de faire sortir un son ou un cri.

Le lecteur se souviendra que le hurlement fit éruption au moment où je mobilisai ma gorge pour respirer. Il était bloqué dans ma gorge, alors que la souffrance due à l'hostilité de ma mère était bloquée dans ma poitrine. C'était le chagrin causé par la perte de l'amour de ma mère que j'avais eu à réprimer afin de pouvoir survivre, car si j'avais hurlé et pleuré pour lutter contre le « sevrage », elle se serait fâchée contre moi. En immobilisant ma poitrine, j'avais pu supprimer la douleur, mais cela avait eu pour effet d'imposer un stress énorme à mon cœur. J'avais vécu avec la peur inconsciente d'être abandonné, dont je ne pouvais me défaire qu'en lui faisant face et en pleurant sur ma perte.

On n'admet généralement pas que la répression d'un sentiment suscite la crainte de ce sentiment. On en fait un squelette qu'on met dans un placard et qu'on n'ose pas regarder. Plus il reste caché longtemps et plus il devient effrayant. Lors de la thérapie, on découvre que quand on ouvre la porte du placard, c'est-à-dire lorsqu'on évoque le sentiment, il n'est jamais aussi effrayant que dans notre imagination. Une des raisons en est que nous ne sommes plus des enfants impuissants. La plupart d'entre nous ont développé la force de leur ego pour manier des sentiments que les enfants n'ont pas. Mais cette force de l'ego n'est pas capable de manier des sentiments réprimés, puisqu'ils sont inconscients. Des sentiments réprimés sont comme des ombres dans la nuit, magnifiées par notre imagination qui en fait des personnages de cauchemar.

Si vous avez tendance à ne pas exprimer vos sentiments, si vous éprouvez des difficultés à pleurer, il est fort probable que vous avez des problèmes de respiration. Si vous retenez vos sentiments, vous retiendrez l'air et votre poitrine sera certainement trop gonflée. Les femmes sont plus libres que les hommes dans l'expression de leurs sentiments – elles peuvent pleurer plus facilement – et, en conséquence, leur respiration est plus libre ; elles souffrent moins d'infarctus et vivent plus longtemps. Je ne veux pas dire par là qu'elles n'ont pas de problèmes émotionnels ou que leur respiration est parfaitement naturelle. Les femmes qui se modèlent sur les valeurs masculines telles que la fermeté, la dureté, l'efficacité et le contrôle de leurs sentiments sont aussi vulnérables que les hommes et peuvent aussi avoir des poitrines trop gonflées. Il y a de fortes chances que les fumeurs des deux sexes en souffriront également. Fumer donne l'impression de respirer sans introduire beaucoup d'oxygène dans le corps, oxygène qui pourrait remuer des sentiments douloureux.

Dans l'intérêt de notre santé, il est important que nous prenions conscience de notre mode de respiration. L'exercice suivant peut vous aider, d'abord à prendre conscience de votre respiration, ensuite à l'approfondir. Notez la largeur de votre poitrine et voyez si vous inspirez profondément. Gardez-vous l'air longtemps ? Dans ce cas, vous avez sans doute autant de difficultés à laisser libre cours à vos sentiments qu'à laisser sortir complètement l'air de vos poumons.

Exercice n° 1 :

En position assise, de préférence sur une chaise dure, faites un « ah » continu de votre voix normale tout en regardant la grande aiguille d'une montre. Si vous ne pouvez soutenir le son pendant au moins vingt secondes, c'est que vous avez des difficultés respiratoires.

Pour améliorer votre respiration, répétez cet exercice régulièrement, en essayant d'allonger la durée pendant laquelle vous maintenez le son. Bien que l'exercice ne soit pas dangereux, il est possible que vous vous sentiez hors d'haleine. Votre corps va réagir en respirant intensément de façon à remplir votre sang d'oxygène. Une respiration de cette intensité mobilise les muscles tendus de votre poitrine, leur permettant de se relâcher. Il est possible que ce processus se termine par des pleurs.

Vous pouvez aussi exécuter cet exercice en comptant tout haut sur un rythme régulier. L'utilisation continue de votre voix nécessite une expiration soutenue. Cet exercice produira le même effet que le précédent. En expirant plus pleinement, vous inspirerez plus profondément.

Dans cet exercice, comme dans d'autres, il est important de ne pas forcer. Comme toutes les autres fonctions naturelles, respirer naturellement se produit simplement. Quand vous vous laisserez aller au mystérieux pouvoir de votre corps, vous recouvrerez votre grâce et votre santé.

Qu'en est-il des personnes dont la poitrine est relativement mobile et creusée ? Cet état est normal si la respiration s'étend profondément dans l'abdomen. Dans ce cas, l'onde respiratoire traverse le corps entier. Souvent, cependant, la poitrine diminuée est plate et étroite, la respiration limitée au thorax. Les personnes affligées de ce défaut physique ont plus de difficulté à inspirer qu'à expirer. Elles ne retiennent pas leurs sentiments, mais les interrompent. C'est particulièrement vrai pour les sentiments situés dans le bas-ventre, comme la souffrance, le désespoir et le désir. Le traumatisme vécu par ces personnes dans leur petite enfance a été plus grave que celui vécu par la plupart des autres. Leur désir de contact n'a pas seulement été occasionnellement frustré, mais anéanti, ce qui leur a donné le sentiment de n'avoir droit ni à la joie ni à l'accomplissement de soi, d'où leur profond désespoir.

Le plus souvent, le désir d'un enfant d'avoir un contact d'amour prend la forme de l'envie de téter la poitrine de sa mère. En me fondant sur les indications de mes patients, je peux dire que ce désir est souvent frustré. Peu d'adultes savent téter de façon efficace. Un adulte qui met son pouce dans sa bouche aura tendance à téter faiblement avec ses lèvres. Un bébé ou un animal nouveau-né, au contraire, aura tendance à téter furieusement avec sa bouche entière. En pressant la pointe du mamelon contre le palais dur avec la langue tandis que la gorge s'ouvre pour créer un vide, le nouveau-né est en mesure d'aspirer le maximum de lait de la poitrine. Les bébés nourris au biberon, en revanche, tètent largement avec les lèvres ; la pesanteur effectue une large part du travail pour eux. Ainsi, téter le lait de la poitrine est un acte plus actif et plus agressif.

Dans son livre (6), la pédiatre Margareth Ribble démontre clairement l'étroite relation entre l'action de téter et de respirer. Elle a découvert que lorsqu'un enfant est sevré prématurément – c'est-à-dire au cours de sa première année – sa respiration devient superficielle et irrégulière. L'enfant ressent la perte de la poitrine maternelle comme la perte de son monde. Sa détresse est, très souvent, immense, mais pleurer lui est rarement d'un grand secours. Comme l'enfant ne peut rétablir la relation d'amour avec la poitrine, il doit réprimer son désir en essayant d'éviter la souffrance suscitée par l'envie. Les bébés réussissent en général à le faire en tendant les muscles de leur gorge. Cette habitude perdure pendant leur vie d'adultes, affectant la respiration.

Pour respirer de façon agressive, il nous faut sentir l'action de la gorge pendant le déroulement du processus, tout comme le bébé a besoin de sentir l'action de sa gorge pour téter de façon agressive. Une façon de mobiliser les muscles de la gorge est de grogner pendant l'inspiration. On peut aussi combiner deux grognements : un pendant l'expiration et l'autre pendant l'inspiration, comme le montre l'exercice suivant.

Exercice n° 2 :

Prenez la même position assise que pour l'exercice précédent. Respirez normalement pendant une minute pour vous relaxer. Maintenant, émettez un grognement tout le temps de l'expiration. Essayez d'émettre le même bruit sur l'inspiration. Cela sera peut-être difficile au début, mais avec un peu de pratique c'est tout à fait réalisable. Sentez-vous l'air être aspiré à l'intérieur de votre corps ? Juste avant un éternuement, le corps aspire l'air avec une telle force qu'on a l'impression d'être transformé en aspirateur. Avez-vous déjà eu cette impression ?

J'ai également utilisé cet exercice pour faire pleurer certaines personnes auxquelles les larmes ne venaient pas faci-

6. Margareth Ribble : *The Rights of Infants* (Colombia University Press, New York ; 1988).

lement. Après qu'elles eurent émis le grognement pendant trois respirations complètes, je les ai priées de l'interrompre pendant l'expiration et de le remplacer par le bruit d'un sanglot « ugh, ugh » pendant l'inspiration. Si l'expiration est suffisamment profonde pour descendre jusqu'à l'abdomen, elle se terminera souvent par des pleurs involontaires.

Souvent, la personne qui se met à pleurer dira sur un ton surpris : « Mais, je ne suis pas triste. » Son détachement à l'égard de ses sentiments les plus profonds est analogue au hurlement que j'ai poussé sans avoir ressenti ma peur.

Je dis généralement à cette personne : « Vous êtes triste parce que vous êtes rigide ou contracté(e). » Je veux dire par là qu'elle a perdu son sentiment de grâce. Et comme cela vaut pour nous tous, nous avons tous au moins une raison de pleurer.

Rien n'aide mieux à respirer que pleurer un bon coup. *Les pleurs sont le mécanisme primaire qui nous permet de relâcher notre tension,* et c'est le seul valable pour un enfant. Nous pleurons non seulement quand nous sommes désespérés, mais aussi lorsque notre désespoir disparaît. Une mère dont l'enfant s'est égaré ne pleure pas au moment où elle le recherche frénétiquement, mais seulement après l'avoir retrouvé. Les gens pleurent parfois après l'orgasme, parce que eux aussi ont retrouvé l'enfant perdu en eux-mêmes, cet enfant qui connut autrefois le sentiment de la joie.

Même si pleurer est primordial pour la poitrine gonflée et salutaire pour la poitrine diminuée, ce n'est cependant pas un acte suffisamment fort pour surmonter ces problèmes. Il nous faut une émotion plus violente pour mobiliser l'agression nécessaire à l'expansion totale de la poitrine. Cette émotion est la colère. L'individu dont le désir a été anéanti a toutes les raisons d'être en colère, mais il lui manque l'énergie qui lui permettrait de se lever et de maintenir ce sentiment à un degré d'intensité qui en ferait une force effective. L'exercice que j'utilise pour atteindre cet objectif est de faire frapper le lit par le patient qui se tient debout. Dans cet exercice, les genoux doivent être fléchis pour fournir un support flexible à l'acte. La personne lève les poings au-dessus de sa tête, gardant les bras près des oreilles et rejetés en arrière le plus loin possible. Les coudes doivent être légèrement fléchis de façon à ce que les épaules soient étirées. La pierre angulaire de cet exercice est la respiration. A partir de cette position, les bras sont étirés trois fois lentement en arrière pendant que la personne inspire le plus fort possible, remplissant ainsi la poitrine. Après la troisième forte inspiration, le coup est donné et l'air expulsé. Très souvent, quand l'exercice est répété dix ou vingt fois, la colère fait éruption et les coups sont involontaires. Il est possible que l'exercice se termine par des sanglots une fois que la colère est déchargée.

L'effet est très surprenant dans la plupart des cas. Le corps se charge et devient vivant. Un patient, qui souffrait de sentiments de désespoir et de faiblesse, fit remarquer après l'exercice pendant lequel il avait ressenti une forte colère : « Je n'aurais jamais pensé que la vie pouvait être aussi belle ! »

De nos jours, les gens sont plus conscients qu'auparavant de l'importance de la respiration. Cela est largement dû au fait qu'ils sont plus concernés par leur santé, mais aussi qu'ils reconnaissent en général la valeur de l'exercice et de la respiration. Hélas ! Notre culture nous a tellement répété qu'il existe deux techniques de respiration que nous avons fini par le croire. C'est pourquoi nous souhaitons apprendre à respirer correctement. Il existe une considérable confusion sur la valeur de la respiration nasale par rapport à la respiration par la bouche.

Bon nombre de personnes croient que la respiration doit se faire par le nez et que la bouche doit rester fermée. La raison avancée est que le nez réchauffe et filtre l'air, qui est supposé être alors plus sain pour les poumons. Les mères demandent souvent à leurs enfants de garder la bouche fermée, sauf quand ils parlent ou mangent. Et elles ajoutent sur un ton critique : « Qu'est-ce que tu essaies de faire, d'attraper les mouches ? Tu as l'air stupide avec la bouche ouverte. » Il est exact qu'une mâchoire qui pend donne au visage un regard vague, c'est-à-dire un air peu intelligent. Mais pourquoi devrions-nous toujours avoir l'esprit présent ? Pourquoi est-il nécessaire de toujours se contrôler ? Nous allons le voir dans un chapitre ultérieur, la mâchoire tendue joue un rôle clef dans notre besoin de contrôle.

La respiration nasale mobilise les passages de l'air dans la tête, aiguisant les sens, particulièrement celui de l'odorat. La vigilance est également accrue. Par conséquent, la personne a un visage plus éveillé si elle respire par le nez. Pendant le sommeil, un état de vigilance diminué, la mâchoire pend fréquemment et la respiration se fait en grande partie par la bouche. En général, la respiration nasale est réservée aux périodes de calme et de relative inactivité. Quand une personne est engagée dans une activité physique intense, elle respire habituellement par la bouche en raison d'un besoin accru en oxygène. Cela est également vrai pour des états d'émotion intense comme la colère, la peur, la tristesse ou la passion. Dans de telles situations, garder la bouche ouverte et respirer par le nez est un moyen de garder le contrôle. Mais il faut savoir où et quand se contrôler, et où et quand se laisser aller. Le mode de respiration devrait dépendre de la situation et non de la manière dont on croit devoir se comporter. Le corps sait réagir de manière appropriée et on peut lui faire confiance : il réagira correctement si on le laisse faire.

Quand je fais une conférence, je trouve qu'il est important de parler lentement et de prendre le temps de respirer. Cela me permet de me relaxer et de continuer à me concentrer. Mais, trop souvent, je trouve que mon auditoire ne respire pas profondément. En dépit de son intérêt, il arrive parfois que sa concentration se relâche. Quand je vois mon auditoire s'affaisser, j'interromps la présentation et le prie de s'étirer et de prendre une bonne respiration. Il est ainsi beaucoup plus facile pour mes auditeurs de suivre la conférence et pour moi de la donner. Les lecteurs vont peut-être se retrouver dans la même situation, si concentrés sur ce qu'ils lisent qu'ils limitent inconsciemment leur respiration. C'est pourquoi je veux illustrer le plus important exercice de respiration de la bioénergie.

Exercice n° 3 :

Si vous êtes assis sur une chaise en train de lire ce livre, faites une pause pour respirer. Appuyez votre dos, levez les bras et respirez profondément plusieurs fois.

Cette extension vous a-t-elle permis de respirer plus profondément ? Si nous sommes affaissé quand nous lisons, notre abdomen est contracté et une respiration profonde est impossible. Pour redresser un abdomen affaissé, j'utilise le tabouret bioénergétique (fig. 5). Le patient est allongé sur le tabouret, les pieds au sol, et il tend les bras en direction de la chaise placée derrière lui. Cette position tend les muscles du dos, qui doivent être relâchés si on désire parvenir à une respiration complète et aisée. Si on ne tente pas de se raidir

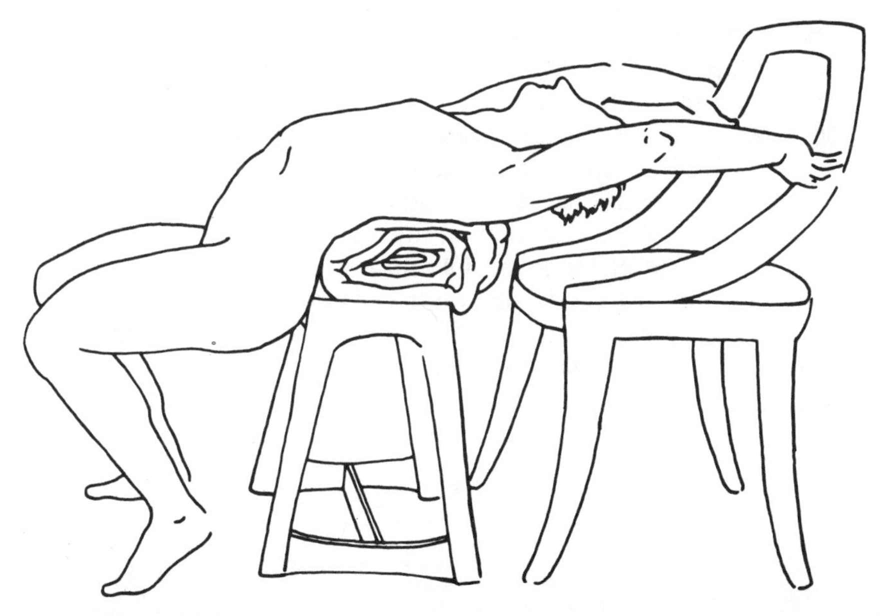

5. Patient allongé le dos sur le tabouret énergétique et tendant les bras vers l'arrière.

contre la douleur ou l'incommodité, la respiration devient spontanément plus profonde et plus complète (7). Le premier tabouret que j'ai utilisé dans ce but était un vieil escabeau de cuisine en bois avec des marches, sur lequel j'avais placé une couverture enroulée. Si le lecteur dispose d'un tel escabeau, il peut également l'utiliser dans ce but. Cette installation peut aussi être utilisée pour effectuer les exercices sur la voix décrits précédemment. Souvenez-vous que vous devez interrompre un exercice s'il devient trop douloureux. Personne, à ma connaissance, ne s'est jamais blessé en utilisant le tabouret ou une couverture enroulée pour exécuter ces exercices de respiration, mais on ne gagne rien en forçant ou en exagérant. La respiration naturelle est un don de Dieu, qui a insufflé la vie à nos corps.

Il est temps, à présent, de revenir à la notion selon laquelle la respiration est, en fait, synonyme d'inspiration.

Selon le dictionnaire, inspirer signifie infuser quelqu'un d'une influence qui anime, ravive ou exalte, ce qui se produit justement lors de l'inhalation d'oxygène. Nous pouvons parfois insuffler la vie à quelqu'un par le bouche-à-bouche, tout comme Dieu a insufflé la vie au premier homme. Je peux donc me représenter Dieu qui, après avoir créé le monde, s'est arrêté pour prendre une bonne respiration, comme un honnête travailleur. Je n'ai aucun doute sur le fait qu'en le faisant, il vit que son acte avait une profonde signification, et qu'il était juste et bien fait. Quand nous respirons profondément, il nous est facile de sentir comme le monde est bien fait, comme il est parfait et comme il est beau. Nous sommes inspiré. Comme il est tragique, alors, de voir si peu de gens respirer librement et bien.

---

7. Pour une description complète et l'utilisation du tabouret bioénergétique, voir Alexander et Leslie Lowen : *La Bio-énergie*.

4

Le corps gracieux : la perte de la grâce

Toute créature qui vit dans un état d'innocence connaît la grâce. L'Homme a été déchu de la grâce au moment où il acquit la connaissance – du bien et du mal, de ce qui est moral et de ce qui est immoral. Il ne fut alors plus libre de suivre ses instincts ni de faire confiance à ses sentiments, n'étant plus certain qu'ils ne le trahiraient pas. Convaincu par le serpent qu'il deviendrait comme un dieu, il découvrit qu'il n'en était rien, qu'il était au contraire condamné à travailler, à gagner sa vie à la sueur de son front. En mangeant du fruit de la connaissance, l'Homme prit conscience de soi.

La conscience de soi est à la fois la gloire et la malédiction de l'humanité. C'est cette caractéristique qui pousse l'Homme à créer et qui, également, révèle son inhumanité, sa cruauté et sa cupidité. Peut-être l'Homme se considère-t-il comme un dieu dans la magnificence de ses réalisations, mais dans son obsession de créer, il est plus un fou qu'un dieu. Dans sa conscience de soi, il est devenu un étranger dans le monde naturel. « Inapte » serait peut-être un mot plus approprié, car il reflète la conscience croissante chez l'Homme moderne de ne pas être apte à vivre ou à agir. Prenant cette absence d'aptitude littéralement, certains essaient de courir des marathons ou de soulever des montagnes. Mais cela ne les rend ni aptes à vivre comme des êtres ayant part à l'ordre naturel de la vie, ni aptes à percevoir leur lien avec l'univers, ni même à connaître la joie d'être vivants et en bonne santé. Car ils doivent ancrer leur conscience de soi dans une conscience du moi.

Bien que paraissant semblables, ces deux concepts sont différents. Pour être conscient de soi, il faut quitter son corps, pour une bonne part comme je le fis en m'entendant hurler sans ressentir aucune peur. La conscience de soi révèle un clivage de la personnalité, qui peut aller d'une fissure jusqu'à une rupture totale, comme dans la schizophrénie. J'exposerai ce concept plus en détail dans le chapitre VIII. Pour être conscient du moi, d'un autre côté, il faut percevoir l'état de sensibilité du corps.

Nous connaissons tous l'histoire du scolopendre qui fut réduit à l'immobilité lorsqu'il se posa la question de savoir quelle patte il devait avancer en premier. Heureusement pour le scolopendre, et pour nous, toutes les fonctions importantes du corps sont autorégulatrices. Contrairement au scolopendre, cependant, nous sommes capable de concevoir des mouvements et actes précis et de les programmer consciemment pour déterminer des comportements. Mais nous risquons, en agissant ainsi, de traiter le corps comme une machine et de détruire sa grâce. Dans sa relation au corps, l'ego est semblable à un cavalier sur son cheval. S'il lui impose sa volonté, il peut obtenir de lui ce qu'il veut, mais il aura sacrifié la grâce naturelle de l'animal. S'il guide le cheval, tout en lui permettant de suivre ses impulsions, le cheval et le cavalier s'uniront dans des mouvements gracieux et plaisants. Cette analogie est très importante car, en tant qu'humains, nous disposons de deux modes d'action : volontaire et involontaire. Les mouvements volontaires : marcher, écrire un livre, préparer un repas, sont sous le contrôle de l'ego et soumis à la volonté consciente. Certains mouvements involontaires, comme cligner de l'œil, se contracter ou respirer, se produisent indépendamment de notre volonté. D'autres mouvements encore peuvent être interrompus par l'esprit ; se produisant spontanément, ils sont néanmoins considérés comme involontaires. Au cours d'une conversation, nous faisons beaucoup de gestes involontaires ; je veux dire par là que ce ne sont pas des mouvements ou actes préconçus. Des mouvements spontanés analogues se produisent tout le temps ; nous mettons une main devant notre bouche ou notre visage, joignons les mains, bougeons une jambe quand nous sommes assis. A moins de concentrer notre attention sur nos mouvements et gestes, nous n'en avons, la plupart du temps, pas conscience. Au contraire, les mouvements volontaires sont faits dans un but précis. C'est à dessein que nous nous brossons les dents, nous habillons et mangeons.

Le nombre d'actes volontaires est restreint, comparé aux mouvements involontaires se produisant sans cesse dans notre corps. Même en faisant abstraction de ceux des organes internes, nous percevons tous d'innombrables petits mouvements à la surface de notre corps. Le corps est réellement constamment en mouvement, même quand nous dormons.

Les mouvements involontaires sont une manifestation directe de la vitalité du corps. Un ami artiste qui exécutait un portrait me fit la remarque suivante au sujet de la femme qu'il représentait : « Son visage est si vivant que je n'arrive pas à en capter l'expression. » Des mouvements volontaires ou contrôlés ne peuvent donner cette impression. Ils ont un côté mécanique. Cependant, la plupart des mouvements assez amples du corps ne sont ni volontaires ni involontaires, mais une combinaison des deux. Un mouvement sera d'autant plus spontané et gracieux que la volonté y interviendra moins. Si nous désirons que nos actes soient gracieux et aisés, notre ego doit faire suffisamment confiance à notre inconscient pour suivre librement et pleinement ses directives.

Un manque de grâce est un signe de « mal-être ». Comme notre culture ne nous permet pas d'échapper à ce mal-être, les adultes sont rarement gracieux. En observant les gens dans la rue, on ne peut qu'être impressionné par la maladresse de leurs mouvements. Le pire est de constater à quel point ils sont inconscients de leur manque de grâce. La plupart d'entre eux ne sont pas non plus conscients d'avoir des problèmes émotionnels considérables. Des études ont montré que la maladie mentale est largement répandue dans notre culture ; cependant, très peu de personnes considèrent leurs symptômes de dépression, d'anxiété et d'insécurité comme de sérieux problèmes émotionnels, bien qu'ils le soient. Et bien peu voient la corrélation entre ces perturbations appelées mentales et leur manque de grâce. La confusion vient du fait que la médecine n'essaie pas de comprendre ce qu'est la santé, et se contente d'une connaissance réduite de la maladie, toujours considérée comme un symptôme perturbateur ou comme un mauvais fonctionnement. La plupart des thérapies – analytiques ou autres – souffrent de cette vue limitée se souciant des symptômes et non de l'état de santé ou de mal-être général du patient. Toute perturbation de la personnalité affectant autant le corps que l'esprit, nous devons considérer que le problème psychologique est un reflet du problème physique ; le contraire est également vrai. Une thérapie efficace, qui a pour objectif la bonne santé d'une personne, doit être fondée sur une compréhension des raisons pour lesquelles celle-ci a perdu sa grâce et de la manière dont elle l'a perdue.

Il y a quelques années, un procureur considéré vint me consulter en raison de problèmes relationnels avec son amie. Il se plaignait de la crainte qu'éprouvait cette dernière de s'engager, bien qu'ils aient déjà eu des relations intimes. Mon patient, que j'appellerai Paul, proclamait qu'il aimait profondément son amie et qu'il ne pouvait pas comprendre pourquoi elle était si opposée à leur mariage, puisque, à plusieurs reprises, elle avait déclaré l'aimer.

Paul était un bel homme ; il approchait la cinquantaine, avait été marié, avait élevé trois fils et était divorcé. Selon lui, le divorce était dû à une trop grande dépendance de sa femme. Le mariage en avait perdu son côté excitant. Il menait une vie active, pratiquait deux sports majeurs et semblait pouvoir offrir beaucoup à une femme. En général décontracté et détendu, il n'était jamais agressif, sauf dans ses relations avec son amie.

Il est indubitable que les deux partenaires contribuent à leurs problèmes relationnels. Mais connaissant Paul, je me devais d'éclaicir ses problèmes en fonction de *sa* personnalité. Il parlait avec aisance et ne cachait pas ses sentiments. De ce fait, seule l'observation de son corps, de son attitude et de ses mouvements me permettrait de comprendre son problème. C'était un bel homme, fort et trapu, mais quand je lui demandai de s'allonger sur le tabouret bioénergétique pour observer sa respiration, je fus surpris de constater que son dos était aussi raide qu'une planche et que sa respiration était très limitée. Peut-être, pensai-je, a-t-il adopté son attitude détendue et aisée pour impressionner les autres ou pour compenser sa tension interne ? Ou peut-être la position de son dos était-elle le signe d'un ego très fortement sous contrôle ? Paul admettait qu'il obtenait généralement ce qu'il désirait dans la vie. C'est pourquoi son incapacité de « capturer » cette femme le contrariait vivement, en dépit de son considérable contrôle de soi. Je pus facilement deviner que ce besoin qu'avait Paul de se contrôler et de contrôler les autres était un facteur considérable dans l'appréhension de son amie de s'engager vis-à-vis de lui. Il n'acceptait ni le besoin d'indépendance de celle-ci, ni son appréhension de s'engager. En dépit de ses manières des plus agréables, Paul n'était pas une personne gracieuse.

Paul eut quelque difficulté à accepter mon interprétation de son problème. Il ne pouvait cependant pas nier la rigidité de son dos et reconnut la nécessité de travailler sur son corps. Il acheta un tabouret et l'utilisa assez régulièrement chez lui de façon à détendre et relâcher les muscles de son dos. Comme il lâcha prise quelque peu sur le plan physique, il fut également en mesure d'accorder plus de liberté à son amie. Si elle s'était soumise à lui, il est fort possible que leur liaison se soit terminée comme son mariage, c'est-à-dire par une perte d'intérêt de sa part.

Par de nombreux aspects, les relations de Paul avec ses amies reproduisaient ses relations avec sa mère. Sa mère était une femme dépendante qui enchaînait son fils à elle au nom de l'amour. Extérieurement, Paul était une personne très indépendante, mais son esprit n'était pas libre. Il avait absolument besoin de se prouver ses capacités, à savoir réussir, accomplir, accepter des défis et les gagner. Il était toujours en action. Le simple plaisir d'être lui était inconnu.

Paul était conscient de soi, vivant d'après les valeurs de son ego, au lieu de vivre d'après celles de son corps. Les valeurs de l'ego sont liées à la satisfaction obtenue en atteignant un objectif, alors que la valeur corporelle réside dans le plaisir ressenti en toute activité réalisée avec grâce. En se cristallisant sur un objectif, on sacrifie le plaisir des efforts réalisés pour l'atteindre. Prenons le ski comme exemple : c'est une activité que l'on peut entreprendre rien que pour l'excitation et le plaisir immédiats de glisser sans effort du haut d'une montagne. Mais trop de skieurs ne sont préoccupés que de leurs performances. Ils sont constamment en train de se juger en fonction de leurs exploits. Et bien qu'ils n'accomplissent rien en skiant, ils ont un seul but : mieux skier que le jour précédent. Le ski n'étant pas une activité naturelle, il faut, pour atteindre le point où l'on skie sans efforts, bien sûr faire attention à la façon dont on skie. Mais, le skieur moderne est sans cesse à la recherche d'une piste pour spécialistes ou de montagnes présentant plus de difficultés. Dans son effort, il se concentre non sur le plaisir, mais sur l'accomplissement. Paul faisait partie de cette catégorie de skieurs.

Développer son adresse dans une quelconque activité rend plus gracieux, du moins en apparence. Un skieur expérimenté qui descend une montagne semble tout à fait gracieux. Un danseur qui exécute des figures chorégraphiques semble élégant. Cependant, il n'y a trop souvent aucun rapport entre la grâce d'un talent acquis et la grâce naturelle du corps. En observant des danseurs marcher dans la rue, j'ai à maintes reprises été frappé par la maladresse de leur démarche. La cinquième position, dans laquelle les pieds sont tournés vers l'extérieur, leur permet peut-être d'être gracieux lors des représentations, mais en raison de la tension des muscles des hanches et du fessier, il leur est difficile de marcher gracieusement une fois qu'ils ont quitté la scène.

Si l'on ne veut pas que l'entraînement détruise la grâce naturelle du corps, il ne doit pas se faire à l'encontre du flux d'excitation du corps. Si ce flux est fort, on peut le diriger de manière à produire un acte gracieux et efficace ; mais si on le brise, on brise également l'esprit de l'organisme. En conséquence, quelle que soit l'efficacité de l'acte appris, il semblera mécanique et sera ressenti comme tel. Un entraîneur de chevaux sait qu'un cheval dont l'esprit a été brisé ne sera jamais réellement un gagnant. Les parents, malheureusement, ne sont pas toujours capables d'apprendre. Une femme, avec laquelle je travaillais, parla de sa difficulté à contrôler son fils. Elle disait « Je le briserai ! » avec une telle véhémence que je pris conscience de l'intensité de son hostilité contre lui. Je lui déclarai ne pas pouvoir travailler avec elle, puisque je ne pouvais accepter une telle attitude de la part d'une personne qui cherchait de l'aide auprès de moi. Elle avait sans doute elle-même été brisée lorsqu'elle était petite fille, mais cela ne justifiait en aucune manière son attitude envers son enfant.

La grâce et la santé dépendent de l'équilibre établi entre l'ego et le corps, entre la volonté et le désir. La philosophie chinoise désigne ces deux forces primaires inhérentes à tout organisme par les termes de *yin* et *yang,* ou encore énergie du soleil et énergie de la terre. En effet, le yin représente une force agissant d'en haut, le yang une force agissant d'en bas. Un surcroît ou une insuffisance de l'une ou de l'autre force perturbe l'équilibre dont dépend notre santé. La relation entre le corps et l'ego, la volonté et le désir, peut donc être assimilée à celle existant entre un cheval et son cavalier. Tout comme le cheval qui, guidé par son cavalier, avance au petit galop, le désir est le moteur qui nous pousse à agir. En même temps, la volonté détermine la direction et le contrôle, à la manière du cavalier. Mais le rôle de la volonté n'est pas d'entraver l'esprit.

Malheureusement, dans notre culture, notre activité est, contrairement aux désirs du corps, pour une grande part déterminée par la volonté. Nous devons nous lever et aller travailler, que notre corps soit reposé ou fatigué, et que les activités quotidiennes nous enthousiasment ou nous ennuient. C'est un fait, nous devons gagner notre vie, et la volonté qui nous oblige à sortir du lit peut, à cet égard, nous sauver la vie. Mais la nécessité de gagner sa vie, de se nourrir, d'avoir des vêtements et un toit, tout cela fait partie des désirs du corps. Or, pouvons-nous dire la même chose de la pulsion manifestement impérative de certains de devenir riches, puissants et célèbres ? Le corps n'a pas ce genre de désirs.

Pulsion est ici le mot clef. A chaque fois qu'une pulsion nous fait agir, nous perdons notre grâce et le corps devient une machine. Le moment est venu de citer la Bible : « A quoi sert de conquérir le monde, si nous y perdons notre âme ? » L'être humain est la seule créature à suivre ses pulsions au point de perdre son contact avec Dieu, la vie et la nature.

A mon avis, le désir sous-jacent d'être aimé est un facteur majeur dans cette pulsion qui nous fait rechercher le succès et le pouvoir. Mais si le succès peut susciter l'approbation, il ne fait pas naître l'amour authentique. Pour être aimé, il faut être capable d'aimer. Pour pouvoir aimer, il faut être humble, se tendre vers quelqu'un, ouvrir son cœur et être vulnérable. Mais la personne volontaire est orgueilleuse, ayant été blessée dans son enfance, quand elle était ouverte et vulnérable, elle est déterminée à ne plus subir cette douleur et cette humiliation. Elle forcera les autres à l'aimer par le biais de son pouvoir et de sa position sociale. Elle prouvera sa supériorité, mais ne pleurera pas ou ne demandera pas d'amour. L'intensité de sa pulsion est directement proportionnelle à sa faim d'amour, mais elle ne lui sert qu'à déjouer ce désir.

Les mouvements provoqués par les désirs sont spontanés, contrairement aux mouvements conscients ordonnés par la volonté. Chez une personne en bonne santé, les mouvements spontanés ne sont jamais chaotiques ou inappropriés, à moins d'avoir été réprimés dans le passé, et ils ne font, dans ce cas, que briser les blocages pour s'exprimer. De telles *perlaborations* sont nécessaires pour que la spontanéité devienne une part essentielle du comportement de la personne ; mais seule la séance thérapeutique permet de les comprendre à la lumière d'événements passés.

L'esprit humain aspire à retrouver sa grâce naturelle, à se libérer de l'emprisonnement de l'ego, il aspire à se sentir participer au courant universel. Bien que la volonté ne puisse dicter le rétablissement de la grâce, une personne pourra occasionnellement sortir du programme que lui impose son ego et devenir naturellement libre et spontanée. Je me souviens d'une simple expérience qui me fit comprendre ce phénomène. Je jouais au base-ball et je m'élançai sur le terrain pour frapper avec la batte, sachant que j'allais marquer un point. Mon esprit conscient ne dirigeait pas mes actes et je ne fis aucun effort particulier pour taper dans la balle fort ou bien. Je heurtai cependant la balle du premier coup et marquai un point. Ce fut une expérience mystique. Je n'avais absolument aucun contrôle du coup ; je ne pus expliquer mon score qu'en supposant que j'étais tellement en accord avec la situation que je ne pouvais manquer le but. Ce « quelque chose » qui avait si parfaitement frappé la balle est le même « quelque chose » qui avait décoché la flèche de l'archer zen. Presque tous ceux à qui j'ai décrit cet événement ont vécu une expérience analogue. Je crois qu'une telle prescience est fondée sur une perception inconsciente des forces en action dans une situation donnée. L'harmonisation est le résultat d'un corps ayant retrouvé sa spiritualité, qui est minée quand l'esprit logique impose un comportement issu d'une stricte causalité.

Je suis persuadé que les ondes d'excitation d'un corps se répandent dans l'espace environnant. Certaines vibrations, comme les ondes sonores, se transmettent par la voix ; d'autres sont plus subtiles. Quoi qu'il en soit, nombre de personnes sont capables de capter les « vibrations » des autres. Une telle empathie qui se produit à distance, par exemple lorsque quelqu'un prend conscience de la mort d'une personne aimée résidant dans une autre ville, est un phénomène qui semble incroyable. Il m'est cependant difficile de rejeter l'important nombre de témoignages provenant de gens qui ont vécu de telles expériences.

Les personnes peu sensibles et celles qui vivent dans leur coquille n'expérimentent que rarement de telles « coïncidences », car la rigidité de leur corps les empêche de vibrer à l'unisson avec d'autres. Néanmoins, une grande sensibilité n'est pas forcément un signe de bonne santé. Les schizophrènes sont connus pour ressentir particulièrement intensément ce qui se passe autour d'eux et bon nombre d'entre eux ont des expériences extrasensorielles. Dans leur cas, les limites du moi sont trop poreuses. Cela signifie, en termes de psychologie, que leur ego ne réussit pas à maintenir une barrière efficace qui les protégerait des stimuli provenant de l'extérieur. De telles personnes ont tendance à se laisser submerger (1).

Dans un organisme sain, il y a équilibre entre la retenue et l'excitation ; l'individu se sent libre d'exprimer ses impulsions et ses sentiments, mais a en même temps suffisamment de maîtrise pour savoir le faire convenablement et efficacement. L'esprit et le corps de telles personnes sont aussi

---

1. Stanley Keleman : *Emotional Anatomy : The Structure of Experience* (Center Press, Berkeley, Californie ; 1985) ; Alexander Lowen : *Lecture et langage du corps*.

intimement liés que le yin et le yang dans le « cercle de la totalité ». Elles sont conscientes du moi, pas conscientes de soi. Chaque mouvement fait participer la personne entière en tant que tout unifié.

Nous pourrons en conclure que le secret de cette grâce est de permettre au corps de se mouvoir par lui-même. Ce processus est détruit pendant l'enfance parce que les parents n'ont pas confiance dans la capacité d'autorégulation du corps. Même pour une chose aussi simple que manger, très rares sont les enfants à pouvoir suivre leurs impulsions et leurs désirs ; les autres ont des parents qui leur ordonnent de manger ce qu'ils considèrent être un régime convenable et adéquat. Il est vrai que, livrés à eux-mêmes, les enfants peuvent avaler n'importe quoi mais, en général – sauf si l'enfant est en butte à de sérieux problèmes émotionnels – cette tendance se dissipera d'elle-même. Il est beaucoup plus malsain de forcer les enfants à manger ce dont ils ne veulent pas que les laisser manger de temps en temps n'importe quoi. Les parents adoptent une attitude parfois extrême en envoyant au lit un enfant qui ne mange pas ce qui lui est présenté. J'ai eu connaissance d'un cas où l'enfant était forcé de manger son vomi : ses parents voulaient lui apprendre qu'il devait leur obéir et manger ce qu'ils lui donnaient. Même avec ces récits si nombreux d'enfants maltraités, il est toujours choquant d'entendre parler de tant de cruauté de la part de certains parents. Cela est contraire à la foi et à la confiance que nous plaçons dans la relation parent-enfant.

Les parents actuels vivent sous une énorme pression parce qu'ils veulent trop réaliser et, ainsi, ne sont guère patients avec leurs enfants. En comparaison avec les adultes, l'enfant a tout son temps : le temps de jouer, d'être insouciant, d'être joyeux. L'enfant ne fait pas encore partie du monde des adultes, avec ses urgences et ses objectifs, ce qui peut mettre les parents hors d'eux et leur fait dire : « Ne reste pas sans rien faire, ne t'arrête pas, continue, fais ceci, fais cela. » Mais en mettant ainsi l'enfant sous pression, les parents tuent en réalité une grande partie du plaisir qu'il pourrait tirer de ses activités et mouvements. A partir du moment où « l'exécution » devient l'objectif primordial, la grâce est perdue. La personne désireuse de recouvrer une partie de la grâce qu'elle a perdue doit comprendre le rôle critique joué par le temps. Dans notre monde moderne, le temps est synonyme d'argent. C'est seulement pendant l'enfance – et seulement pour quelques rares enfants non poussés par les parents – que le temps reste un plaisir.

L'exercice suivant va m'aider à illustrer la façon dont la tyrannie du temps nous dépouille de notre grâce.

Exercice n° 4 :

Choisissez une quelconque activité habituelle, comme marcher, faire le ménage, préparer un repas ou encore écrire une lettre.

Commençons par la marche. Vous rendez-vous compte que vous êtes tellement pressé d'arriver quelque part que vous avez à peine conscience de marcher ? Sentez-vous comme vos mouvements sont disgracieux ? Efforcez-vous de ralentir afin de pouvoir sentir chaque pas, mais ne pensez pas à la façon dont vous marchez. Laissez simplement votre corps vous faire avancer à son propre rythme. Le « vous » conscient se contente de l'accompagner. Si cet exercice vous donne l'impression d'être maladroit ou maladroite, c'est que vous avez pris conscience de votre marche. En d'autres termes, vous la jugez ou bien pensez au regard que les autres jettent sur vous, ce qu'il ne faut pas faire. Concentrez-vous au contraire complètement sur la sensation de marcher. Voyez si vous pouvez éprouver le plaisir d'être vivant, de bouger librement sans vous préoccuper de quoi que ce soit.

Dans un monde aussi trépidant et sous pression que le nôtre, il n'est pas facile de maintenir un rythme différent de celui des autres. Autrefois, à mon retour de vacances d'hiver dans les îles Caraïbes, je remarquais en allant à mon bureau que tout le monde dans la rue me dépassait. Au bout de huit jours, je constatais malheureusement que je marchais à nouveau aussi vite que les autres. Mais c'est une mauvaise habitude dont j'ai entre-temps réussi à me défaire. Je m'exerce maintenant à marcher lentement, et je constate que mon plaisir s'en est fortement accru. En fait, j'essaie parfois de marcher aussi lentement que possible. Quand je le fais, le sentiment de vitalité que j'éprouve dans mes pieds et dans mes jambes se répand dans mon corps entier.

Le même exercice peut s'appliquer à toute autre activité – même, par exemple, laver la vaisselle, ce qu'il m'arrive de faire, comme à tous les hommes. Mais je fais cela très rapidement et ma femme se plaint souvent que les assiettes ne sont jamais vraiment propres et qu'elle doit les relaver. En fait, je les lave trop rapidement parce que je veux expédier ce travail. Manifestement, je n'aime pas vraiment cette activité. Or, il est impossible d'apprécier une activité qu'on se dépêche de terminer. J'ai constaté que lorsque je peux contrôler mon impulsion d'impatience et ralentir, je retire un certain plaisir du lavage de la vaisselle. La raison pour laquelle la propreté, ou pureté, est proche du divin est qu'elle est, après tout, un signe d'ordre, une marque de la main de Dieu qui créa le monde à partir du chaos.

Comme je viens de l'illustrer, l'attention – ou une calme conscience de soi – aide à apprivoiser la grâce naturelle. Le même phénomène se produit quand on laisse le mouvement se répandre dans le corps entier au lieu de le limiter à une partie du corps. Vous allez le constater dans l'exercice suivant : le seul fait d'étendre la main pour saluer quelqu'un peut mobiliser le corps de la tête aux pieds, à condition que nous y consentions.

Exercice n° 5 :

Pour commencer, l'exercice consiste simplement à tendre une main. Tenez-vous debout les pieds parallèles écartés d'environ 20 cm. Pliez légèrement les genoux. Cela sera votre position de base, que je vais élaborer dans un chapitre ultérieur.

Tendez votre bras, comme si vous vouliez saluer quelqu'un ou donner quelque chose. Puis, abaissez-le le long du corps et recommencez. Mais, cette fois-ci, avant de tendre le bras, appuyez avec le pied correspondant contre le sol et penchez-vous légèrement en avant au moment où vous étendez le bras. L'onde qui produit le mouvement doit partir du sol et se répandre dans tout votre corps.

Avez-vous ressenti autre chose ? Avez-vous pu sentir de quelle manière votre corps a participé au mouvement ? Voyez-vous une différence entre un acte qui fait participer le corps entier et un mouvement n'ayant pas cette qualité ?

Dans ce chapitre, j'ai examiné le problème de la grâce au moyen du conflit entre l'ego et le corps. Ce conflit engendre un clivage entre la pensée et la sensation, la volonté et le désir, le contrôle et l'abandon, et entre la partie supérieure et la partie inférieure du corps. Quand la partie supérieure domine la personnalité, nous perdons notre grâce naturelle. Pour rétablir la spiritualité du corps, nous devons inverser cette attitude : il nous faut prendre le sol comme point de départ du mouvement en réponse à la sensation. Nous venons de le voir, un mouvement gracieux part de la partie inférieure du corps et se répand vers le haut et vers l'extérieur en suivant l'onde d'excitation. Dans le chapitre qui suit, nous allons étudier la nature des sensations produites lorsque l'onde d'excitation atteint la surface du corps.

5

Sentiments et sensations

J'ai dit que la spiritualité du corps est la sensation d'être relié à l'univers. Une sensation n'est pas simplement une idée ou une croyance ; elle est plus qu'un processus mental puisqu'elle fait participer le corps. Elle est composée de deux éléments : une activité corporelle et une perception mentale de cette activité. Elle peut donc être considérée comme la force qui unifie le corps et l'esprit, mettant en corrélation l'esprit conscient et l'activité corporelle. Cette dernière en elle-même ne suffit pas à faire naître des sensations. Pendant le sommeil, par exemple, le corps peut beaucoup remuer, mais la conscience étant émoussée (endormie), il ne peut s'y produire aucune sensation corporelle. Cependant, en l'absence de mouvements spontanés du corps, l'esprit peut rester alerte et conscient sans pour autant ressentir quoi que ce soit. Si vous laissez pendre votre bras le long du corps sans le bouger pendant plusieurs minutes, vous finirez par ne plus le sentir. D'un autre côté, le corps peut parfaitement être en activité sans qu'il y ait perception de sensation s'il existe un clivage entre l'organe qui perçoit, l'ego, et l'instrument de la perception, le corps. Cette perturbation est typique de la personnalité narcissique.

Tant qu'il y a vie, il n'y a pas absence complète de sensations, même chez une personne narcissique. Elle peut éprouver des sensations telles que la chaleur, le froid, la douleur, la pression, etc. Ce que la personnalité narcissique n'éprouve pas – ou très peu – ce sont les sentiments que nous désignons par le terme d'émotions, notamment la crainte, la colère, la tristesse, l'amour, etc. Ces sentiments proviennent de mouvements spontanés du corps représentant les impulsions de se tendre vers l'environnement ou de se fermer à lui. L'impulsion de se tendre traduit le désir, la recherche du plaisir et de son accomplissement. Chez la personne qui en est consciente, elle donne naissance à un sentiment d'amour. L'impulsion de se fermer traduit, au contraire, la réaction à une souffrance vécue ou l'anticipation d'une souffrance, ce qui suscite un sentiment de crainte. La personne peut aussi vouloir éliminer la menace en donnant un coup, ce qui donne naissance à un sentiment de colère. Mais pour qu'il y ait sensation ou sentiment, l'impulsion, ou la réaction, ne doit pas nécessairement être mise en acte. Lorsqu'une impulsion atteint la surface du corps, préparant ainsi la personne à agir, il y a genèse d'un sentiment ou d'une sensation, même si l'acte n'est pas exécuté. On peut être en colère sans attaquer, être effrayé sans s'enfuir, ou triste sans pleurer, car l'impulsion est de toute façon perçue. Cependant, il existe des gens qui parlent d'amour sans ressentir l'impulsion de se tendre pour un contact de chaleur et de tendresse. Dans ce cas, l'amour est une pensée, pas un sentiment.

Ce qui suit traite des sentiments et des émotions. Pour éviter toute confusion, nous spécifierons que toute émotion est un sentiment, mais qu'un sentiment ou une sensation n'est pas forcément une émotion. L'amour, la colère et la peur sont des émotions typiques qui sont appelées sentiments. Des sensations comme le froid et le chaud, la douleur et la pression, les goûts et les odeurs sont des sentiments ou des sensations, mais pas des émotions. Le mot *émotion* implique l'action (*mouvement* plus *e,* préfixe qui signifie aller vers l'extérieur : extériorisation), et c'est l'action qui la distingue des autres types de sentiments. De plus, les émotions sont vécues comme des réponses du corps en globalité. Par exemple, une douleur peut être ressentie seulement dans le bas du dos ; mais le sentiment de colère n'est pas localisé ou limité – le corps entier est en colère. Néanmoins, les impulsions associées aux différentes émotions varient et se manifestent de diverses manières.

Pour comprendre la sensation ou le sentiment dans sa fonction, il est indispensable de comprendre les processus énergétiques du corps. Ces processus se traduisent : premièrement par une activité pulsative de tous les organes et du corps en tant que totalité et deuxièmement par des impulsions et réactions spécifiques, telles qu'elles ont été décrites précédemment. Les mouvements d'expansion et de contraction sont les signes visibles de la force de vie d'un organisme. Cette pulsation rythmique est plus évidente chez la méduse, un animal extrêmement primitif. Toute personne ayant observé de près un de ces organismes ne peut s'empêcher d'être impressionnée par sa capacité de se propulser dans l'eau en se développant et en se contractant. Comme nous l'avons vu, l'inspiration et l'expiration sont, chez les humains, la manifestation la plus visible de cette force de vie. Des rythmes similaires existent dans l'activité péristaltique des intestins et des battements du cœur. En fait, toutes les cellules vivantes respirent. Elles aspirent de l'oxygène et rejettent du dioxyde de carbone dans un processus connu comme phénomène de respiration interne et qui est l'activité pulsative fondamentale de la vie.

Comme ces mouvements d'expansion et de contraction sont spontanés, il est naturel de se demander si les sensations et les sentiments sont des états qui leur sont associés, au moins pour ce qui concerne les humains. Mon expérience prouve qu'ils le sont. Lorsque, au cours de la thérapie bioénergétique, la respiration d'un patient devient libre, aisée et profonde, la tranquillité et le calme se diffusent généralement en lui. Si je lui demande comment il se sent, la réponse est invariablement : « Bien. » Il y a sensation, même si aucune émotion spécifique n'est liée à cet état. Aucun patient n'a jamais répondu : « Je ne ressens rien du tout. » Une telle déclaration signifierait que l'activité pulsative du corps a perdu de son intensité normale, ce qui serait d'ailleurs plus vraisemblablement le fait d'une personne cliniquement déprimée. La santé n'est donc pas l'absence de souffrance, mais la présence d'une tonalité fondamentale de plaisir dans le corps.

Notre aptitude à ressentir ce qui arrive à une autre personne, aptitude que j'ai nommée *empathie,* est fondée sur le fait que nos corps sont censés vibrer avec les autres. Si ce n'est pas le cas, c'est que nous ne vibrons pas nous-même. Une personne qui déclare : « Je ne ressens rien du tout » s'est coupée de la perception de sa propre vitalité, comme de tout sentiment qu'elle pourrait éprouver à l'égard des autres êtres, humains ou animaux.

Pour survivre, un organisme doit être sensible à son environnement. Cette sensibilité a pour siège la membrane qui entoure l'organisme, une membrane sélectivement perméable qui permet d'un côté l'absorption de la nourriture et des oligo-éléments, de l'autre l'élimination des déchets. La sélectivité, ou aptitude à distinguer entre différents stimuli, est le fondement de la perception et de la conscience. Il est donc exact de dire que la conscience est un phénomène périphérique.

Notre perception du monde dépend largement du fonctionnement de nos principaux organes des sens, qui sont tous des structures particulières de la peau (ou périphériques). L'information que ces organes reçoivent est retransmise par les nerfs au cerveau, où elle est projetée sur l'écran de l'esprit pour que nous puissions réagir aux stimuli ainsi reçus. Cependant, aucun sentiment, aucune sensation spécifique n'accompagne l'information. Le sentiment ou la sensation dépend de la nature de nos réponses. Si notre réponse est positive, c'est-à-dire si le stimulus induit un mouvement d'expansion du corps, nous éprouverons une sensation de plaisir et d'excitation. Si notre réponse est négative, c'est-à-dire si le stimulus provoque une contraction du corps, nous éprouverons un sentiment de crainte ou de souffrance ou encore une sensation de douleur. Nous attribuons ces sensations et sentiments aux stimuli eux-mêmes, mais ils/elles sont en réalité les perceptions de nos réactions. Si nous étions anesthésié de telle manière qu'aucune réaction ne soit possible, nous ne ressentirions rien du tout.

Nos actes ne sont cependant pas seulement déterminés par les stimuli venant de l'extérieur. Nous réagissons aussi aux impulsions qui se produisent spontanément à l'intérieur de nos corps. Ces impulsions sont en rapport avec nos besoins : le besoin d'excitation donne naissance à l'impulsion de se tendre vers un autre corps pour établir un contact, tandis que le besoin de nourriture engendre l'impulsion de manger. Ces mouvements internes suscitent aussi des sensations quand ils parviennent à la surface du corps et au cerveau, siège de la perception des stimuli.

Les figures suivantes (6 et 7) réduisent ces processus à leurs simples caractéristiques. Sur la figure 6, l'organisme est représenté par un cercle ressemblant en quelque sorte à une cellule unique. Le centre, correspondant au noyau d'une cellule, représente la source d'énergie de tous nos mouvements. Une impulsion, ou onde d'excitation, va du centre à la périphérie, siège de son expression. En même temps, les stimuli touchent la surface de la cellule de l'extérieur, donnant naissance à des réactions internes.

Chez les organismes supérieurs, l'ego remplit une fonction à la fois de moteur et d'instrument de perception. Les muscles volontaires du corps étant contrôlés par les nerfs qui partent des centres conscients du cerveau, c'est l'ego qui contrôle tout acte conscient. Ce système de muscles volontaires, montrés sur la figure 7 comme une série de lignes ondulées, se trouve près de la surface du corps et constitue

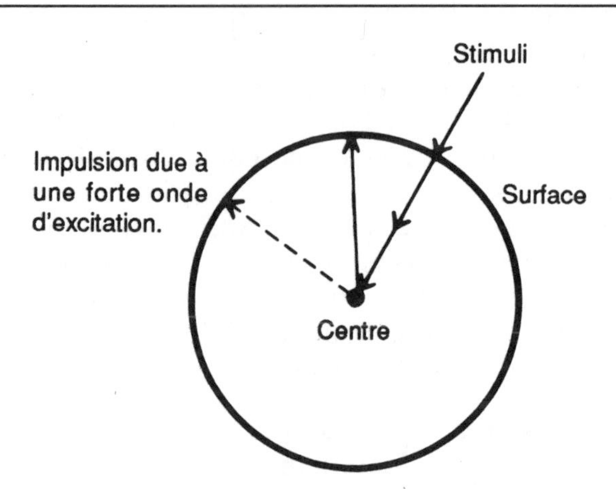

6. **Réactions de l'organisme à une stimulation.**

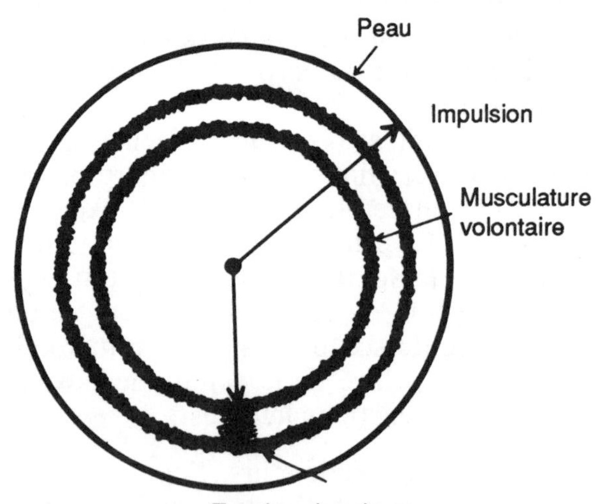

7. **Effet d'une impulsion sur la musculature.**
Une impulsion fait agir la musculature, mais peut être bloquée par une tension chronique et ainsi ne pas atteindre la surface.

une gaine interne. Chaque impulsion qui cherche à s'exprimer doit mettre ce système en action. L'ego peut par conséquent diriger, voire bloquer une impulsion en contractant les muscles nécessaires, les empêchant ainsi d'agir. Une impulsion bloquée de cette manière ne peut donner naissance à une sensation puisqu'elle ne peut atteindre la périphérie.

Dans certaines situations, une personne peut délibérément enpêcher une impulsion de s'exprimer. Elle peut, par exemple, être poussée à frapper quelqu'un qui lui fait mal, mais comprenant que l'agresseur est plus grand et plus fort, elle décidera peut-être qu'il est plus sage de réprimer cette impulsion. Néanmoins, dans une telle situation, cette personne est parfaitement consciente de sa colère et de la tension générée par le refoulement de son impulsion agressive. Si la situation change ou si la personne réussit à s'y soustraire, elle peut relâcher la tension et exprimer sa colère soit verbalement, soit en donnant des coups de pied ou encore en frappant un objet quelconque. Le problème sera différent si la situation ne change pas ou si la personne ne peut s'y soustraire. Un enfant peut se retrouver dans une telle mauvaise position. Il est parfaitement légitime qu'il soit en colère face à l'attitude hostile d'un de ses parents, mais il est probable que l'enfant n'exprimera pas sa colère par crainte de représailles. Dans notre culture, l'éducation des enfants entraîne souvent luttes ou conflits, dans lesquels la liberté de l'enfant est forcément amputée et son esprit brisé. Les parents sont libres de battre leurs enfants, mais malheur à l'enfant qui bat en retour. J'ai souvent vu un enfant en colère bougonner après une altercation avec un de ses parents, sans oser parler tout haut. Dans une telle situation, l'enfant n'a d'autre solution que de se soumettre, autrement dit réprimer sa colère.

Lorsqu'une impulsion est consciemment refoulée, il en résulte une violente contraction des muscles. Des ondes d'excitation atteignent cependant encore les muscles, qui ne sont alors plus que tremblements, comme dans le cas de chevaux de courses piaffants, prêts à partir, mais retenus par leurs jockeys. Quand la tension devient chronique, les muscles deviennent rigides et la retenue des impulsions devient inconsciente. Des muscles rigides rendent impossibles les mouvements spontanés, si bien que l'on n'a plus conscience de sa colère ou de tout autre sentiment, voire qu'on retient ses sentiments. La sensibilité de cette région du corps ayant disparu, on ne sent plus la tension. Des années plus tard, quand le muscle s'affaiblit, la douleur se développe, mais on n'est pas en mesure d'établir le lien entre la douleur, la tension et la répression du sentiment. La tension chronique dans la musculature qui empêche les impulsions de mettre les muscles en action – et par conséquent d'être ressenties – est montrée sur la figure 7 sous la forme d'un bloc compact.

Le degré de répression d'un sentiment comme la colère varie en fonction de la sévérité de la menace qui occasionna cette répression pour la première fois. Certains ont d'énormes difficultés à éprouver de la colère ou à l'exprimer ; d'autres sont capables d'en éprouver un peu si la provocation est suffisante. D'autres encore sortent de leurs gonds à la moindre provocation. On peut constater que la tension chez ces personnes atteint une telle intensité qu'elle constitue une provocation constante. Comme ces explosions de rage se produisent sans aucune participation de l'ego, c'est-à-dire avant que la personne ne se rende compte ni du degré ni du motif de sa colère, elles ne permettent pas de relâcher la tension chronique.

Des muscles chroniquement tendus donnent au corps une apparence de rigidité et détruisent sa grâce en bloquant le flux d'excitation. Des muscles contractés, dans quelque partie du corps que ce soit, ont pour effet de restreindre la respiration, une respiration complète impliquant en effet que les ondes respiratoires se répandent dans le corps entier. Mais la tension musculaire chronique, qui empêche la personne de respirer complètement et profondément, amoindrit aussi son énergie, de sorte que la vitalité globale de son corps s'en trouve à son tour réduite. Le résultat est que la répression d'un sentiment tend à affaiblir la sensibilité en général. Si la colère est réprimée, l'amour, la tristesse et la peur tendent également à être réduits, bien que pas nécessairement au même degré. Chez un grand nombre de personnes, le corps est divisé de telle manière que certains sentiments sont plus inhibés que d'autres. Cela explique que certains hommes réussissent plus facilement à exprimer leur colère qu'à pleurer, tandis que c'est le contraire pour bon nombre de femmes.

Les émotions sont l'expression directe de l'esprit. On peut mesurer la force spirituelle de quelqu'un à l'intensité de ses sentiments, la grandeur de son esprit à leur profondeur, et l'aisance de son esprit à leur calme. Une personne qui se meut avec sentiment a des mouvements gracieux, parce qu'ils sont la conséquence du flux énergétique qui se répand dans le corps. Le sentiment est donc la clef de la grâce et de la spiritualité du corps.

Après avoir débattu des sentiments et des sensations en général, nous pouvons examiner les émotions spécifiques que sont l'amour, la colère, la peur, la tristesse et la joie. L'amour est expansif, chargeant fortement d'énergie la surface du corps, qui acquiert de ce fait une douceur, une chaleur et un rayonnement qui font plaisir à voir. L'amour est chaud et l'intensité de ce sentiment – éprouvé ou exprimé – est directement proportionnelle à la douceur et à la chaleur du corps, d'où l'expression : « les feux de la passion ». Dans l'émotion qu'est l'amour, l'impulsion consiste à se tendre pour un contact étroit avec la personne aimée dans l'anticipation du plaisir (1).

Les personnes qui se tendent vers l'amour dans des situations où elles peuvent raisonnablement voir qu'elles vont souffrir sont appelées des masochistes. Le masochisme semble contredire la définition que je viens de donner de l'amour, mais cette contradiction est compréhensible si l'on tient compte du fait que la plupart des gens souffrent d'une certaine ambivalence : ils éprouvent à la fois des sentiments

---

1. Alexander Lowen : *Le Cœur passionnément : symbolique et physiologie de l'amour.*

de haine et d'amour pour une même personne. Cette ambivalence provient souvent d'une relation conflictuelle datant de l'enfance ; en effet, lorsqu'un enfant est meurtri par un de ses parents, la colère et la haine se mêlent à son amour pour celui-ci. Tout au long de sa vie, une telle personne se retiendra d'aimer, ce qui n'empêchera pas la haine et la colère d'exister, ne serait-ce qu'à l'état réprimé. La répression, qui masque le souvenir du conflit d'origine, exposera de nouveau l'enfant à la souffrance lorsqu'il se tendra pour recevoir de l'amour. Une telle ambivalence apparaîtra donc dans la façon dont un individu exprime son amour.

Quand l'amour se refroidit, il se transforme en haine. Nous pouvons dire que la haine est de l'« amour gelé ». J'entends par là que l'impulsion de se tendre est réprimée ou gelée. Le sentiment de haine traduit donc un sentiment d'amour préalable pour l'objet haï, sentiment maintenant enseveli sous une couche de glace. L'amour ne meurt jamais complètement, sinon le cœur gèlerait également et la mort s'ensuivrait. Ainsi, une personne peut tout à fait proclamer son amour, même si son attitude et sa conduite démentent son aveu. Du fait que l'amour et la haine sont comme deux pôles, il n'est pas rare de voir un sentiment de haine se transformer en amour quand l'impulsion de se tendre vers quelqu'un traverse la carapace protectrice. La haine est une réaction secondaire à une expérience passée ou à la crainte de souffrir à cause d'une personne aimée. La première et immédiate réaction est la tristesse et la colère. Une personne exprimant ces sentiments ne gèle pas. La répression de ces sentiments, par le biais d'une tension musculaire chronique, crée cette carapace gelée qui emprisonne le cœur et l'amour. Elle emprisonne également l'esprit, rompant le lien avec l'esprit universel. La tristesse est la réaction naturelle face à la perte de l'amour. Quant à la colère, elle est, également, liée à l'amour. Nous ne nous mettons pas en colère contre des gens que nous ne connaissons pas ; nous nous éloignons d'eux. Nous nous mettons en colère contre ceux que nous aimons quand ils nous font du mal en frustrant notre désir de jouir de leur amour.

De même que nous nous tendons doucement vers la personne aimée, nous explosons violemment dans nos accès de colère. Mais, tandis que la colère est une tentative d'éliminer un obstacle à notre amour, la rage nous fait voir l'objet de notre colère comme un ennemi, un ennemi qui cherche à nous détruire. On dit éprouver une « rage meurtrière » ou « vouloir tuer » quelqu'un. Cette rage se retourne souvent contre des innocents, en particulier contre les enfants. Rien ne peut plus mettre en rage un parent qu'un enfant rebelle ou désobéissant. Le parent réagit comme si l'enfant, en faisant obstruction à sa volonté ou en déniant son pouvoir, lui infligeait une blessure mortelle. Une telle rage provient souvent d'une blessure infligée au parent alors qu'il était lui-même encore enfant : la punition sévère reçue pour avoir osé tenir tête à un parent autoritaire et non aimant lui a brisé l'esprit. Le refoulement de sa colère face à ce cruel traitement le rend prisonnier de la personnalité du parent, cette colère pouvant couver pendant des années, jusqu'à ce qu'elle explose un jour contre un être innocent et désarmé. Le message de cette rage est très clair : « Pourquoi toi (l'enfant), serais-tu un esprit libre, alors que j'ai, moi, été brisé ? » La jalousie du parent à l'égard de l'enfant aboutit à la rage.

Le concept d'« esprit brisé » n'est ni une métaphore ni une construction psychologique ; c'est une réalité physique. Je pense que chez toute personne dont l'esprit a été brisé, la tension musculaire située en haut du dos et des épaules traduit la rage réprimée. Cette tension peut apparaître dans une rupture de la ligne naturelle du dos, une trop forte convexité juste au-dessous des épaules, une lordose ou un aplatissement de la courbe naturelle du bas du dos (2). Cet aplatissement de la courbe pousse le pelvis vers l'avant, détruisant tout sentiment de dignité chez la personne. La position est analogue à celle d'un chien qui marche la queue entre les jambes. Parfois, faisant remarquer cette position à un patient, je lui déclare : « C'est comme si on vous avait

---

2. Alexander Lowen : *Le Cœur passionnément : symbolique et physiologie de l'amour* ; Alexander et Leslie Lowen : *La Bio-énergie*.

enfoncé les fesses avec des coups de pieds. » Des fessées sévères et répétées produisent un des traumatismes entraînant cette posture. La courbe excessive du bas ou du haut du dos rompt la position droite qui traduit un esprit libre. En effet, une fois que son esprit est brisé, et tant qu'il le restera, une rage meurtrière habitera la personne, qu'elle en soit consciente ou non. Et tant que cette rage ne sera pas extériorisée, son esprit restera brisé. Exprimer sa rage peut être un facteur de guérison chez la personne qui comprend que ce sentiment entraîne la perte de la grâce.

Cependant, quiconque extériorise sa rage sur des personnes dont l'esprit n'est pas brisé, c'est-à-dire sur quelqu'un de plus jeune que lui, de plus faible ou dépendant, n'en retirera aucun bénéfice. En effet, on ne peut se sentir bien en adoptant une attitude qui entraîne la culpabilité et accroît les tensions. Le moyen approprié pour se débarrasser de sa rage est la thérapie : le patient peut se permettre d'y perdre le contrôle, puisqu'il est entre les mains du thérapeute. Le patient frappe un lit ; si c'est un homme, il use de ses poings ; si c'est une femme, elle utilise une raquette de tennis pour avoir plus de force. En tendant les bras vers le haut et en arrière, on redresse le dos et on étire les muscles contractés. Les coups sont généralement accompagnés de paroles comme : « Je vais t'écraser » ou encore « Je vais te tuer ». Je présente plus en détail, dans le chapitre VIII, cette technique qui a pour but de débarrasser le patient de sa rage, et j'indique d'autres moyens de diminuer sa tension, de réduire sa rigidité et de donner libre cours à ses sentiments.

Bien que l'extériorisation de la rage soit importante pour le patient, elle n'est pas l'objectif thérapeutique majeur. Celui-ci, ainsi que je l'ai mentionné auparavant, est de lui faire recouvrer la grâce. Extérioriser la rage ne fait qu'apporter un relâchement temporaire des tensions, mais ne guérit pas l'esprit. En frappant violemment un objet comme pour l'écraser, nous tendons les muscles des épaules pour avoir plus de force, mais ce geste nous fait perdre notre grâce. Nous devons frapper avec l'idée, non pas d'écraser ou de détruire, mais en vue de préserver notre intégrité et de protéger notre esprit. Il nous faut apprendre à extérioriser notre colère, ce qui, contrairement à la rage, est une action gracieuse puisque c'est un mouvement fluide. En frappant le lit avec colère, le patient étire son corps de bas en haut, tendant le plus possible les bras vers l'arrière. Pour frapper, il balance ensuite ses bras avec souplesse, aisance et tout à fait librement. Si l'exercice est fait correctement, l'onde d'énergie ou d'excitation se répand à travers tout le corps, des pieds aux mains, dans un geste gracieux. Si la colère est correctement extériorisée, l'esprit est libéré.

Se tendre pour un contact d'amour est un mouvement agressif. La seule différence entre tendre les bras avec amour ou les tendre pour frapper avec colère réside dans le fait que le premier mouvement est doux et délicat, tandis que le second est dur et violent. Bien que la sensation diffère dans ces deux actes, son intensité est dans l'un et l'autre cas directement proportionnelle à la longueur de l'étirement. Une extension complète des bras traduit une sensation pleine. Cependant, si les épaules sont contractées suite à une colère refoulée, l'extension des bras est tronquée et la sensation amoindrie.

Les émotions apparaissent sous la forme de paires en opposition comme des pôles, telles que l'amour et la haine, la joie et la tristesse, la colère et la peur. D'un point de vue énergétique, la peur doit être comprise comme l'opposé de la colère. Face à un danger ou à une menace, on peut frapper par colère ou se retenir par peur. Ces deux émotions empruntent les mêmes canaux : dans la colère, les ondes d'excitation sont tournées vers l'extérieur, remontant à travers les muscles du dos, redressant le dos pour le préparer à une attaque, comme un chien ou un chat, puis se déplaçant vers les bras ou les dents. Le courant qui se dirige vers les dents, nos premiers organes d'attaque, parcourt le haut de la tête. J'ai personnellement expérimenté cette vague d'excitation allant dans une de mes canines. En cas de peur, le courant d'excitation s'inverse : en imitant une expression de peur, nous pouvons le percevoir. Les globes oculaires roulent vers l'intérieur, la tête est rejetée en arrière, contractant le cou, et les épaules se redressent. Tout le corps se contracte et se rétracte. Si la peur n'est qu'une sensation momentanée, la contraction se relâchera une fois le danger passé. Parfois, la peur suscite la colère : elle est comme une vague d'excitation produite par contrecoup. Faites peur à un enfant et vous verrez apparaître sa colère.

La peur a un effet paralysant sur l'esprit. Elle pétrifie le corps, contractant les muscles. Quand cet état persiste, le corps devient engourdi et la personne ne ressent plus la peur. La plupart des gens qui viennent pour une thérapie sont dans cet état-là. Ils sont déprimés, mais pas effrayés, même pas tristes. L'objectif thérapeutique est de mettre le patient en contact avec sa peur en lui faisant sentir les tensions dans son corps. En essayant de mobiliser les zones contractées, il la percevra. S'il sent sa peur, il risque de craindre que le thérapeute ne lui fasse mal ; c'est bien sûr une projection de la peur que lui inspire son père ou sa mère. Mais il peut également redouter les impulsions qu'elle cache, en particulier la colère – ou plus exactement la rage – qui pourraient être meurtrières.

Si les tensions physiques causées par la peur sont chroniques, on ne peut les relâcher qu'en les transformant en colère, c'est-à-dire en inversant la direction du mouvement énergétique. La rage peut être extériorisée de diverses manières, par exemple en frappant, en mordant, en donnant des coups de pieds ou en tordant une serviette de toilette (un excellent substitut pour le cou). Tous ces actes sont effectués dans le but de relâcher les tensions et de rendre au corps sa liberté et sa grâce. Cette technique n'est pleinement efficace que si le patient a conscience de sa peur. Sans cette conscience, les processus décrits ci-dessus ne sont que des exercices, même s'ils évoquent une forte sensation de peur.

La plupart des gens ont peur de la tristesse qu'ils recèlent. Si nous nous laissons aller à pleurer, nous sommes effrayé, car cette tristesse nous donne l'impression d'être un abîme sans fond ou un puits profond dans lequel nous nous noierions si nous nous abandonnions à ce sentiment. Il y a un fond à notre tristesse ; mais juste avant de l'atteindre, nous ressentons un désespoir tel qu'il peut être terrifiant. Il est possible de faire sortir un patient de son désespoir en l'aidant à comprendre que ce sentiment provient des expériences vécues dans son enfance et qu'il leur est très étroitement lié. Les patients me demandent souvent : « Combien de larmes dois-je verser avant de me libérer de ma tristesse ? Il me semble que je pleure déjà depuis une éternité. » Je réponds qu'il ne s'agit pas de pleurer longtemps, mais de pleurer suffisamment profondément pour atteindre le fond du puits, la cavité de l'abdomen. Quand l'onde convulsive des sanglots atteint le plancher pelvien, une trappe s'ouvre, permettant à la personne d'émerger au soleil. La trappe est l'appareil génital qui permet la renaissance par l'orgasme.

Outre les émotions dont nous avons parlé – l'amour, la colère et la peur – existent des sentiments ou des sensations vagues que nous ne pouvons qualifier d'émotions. Un tel état est l'humiliation qui, comme les émotions, peut être refoulée au point que la personne n'en est pas consciente. Néanmoins, très souvent, une tête baissée et inclinée sera l'expression physique de cet état, alors que l'état opposé, le sentiment de fierté, se traduira par une tête haute.

Une simple humiliation ne provoquera pas une attitude qui se structurera dans le corps. De nombreuses femmes, cependant, sont, comme les enfants, sujettes à l'humiliation pour toute manifestation ouverte de leur sexualité. L'abus sexuel sous toutes ses formes est une expérience humiliante pour un enfant et je considère la fessée comme un abus sexuel, car l'attaque est dirigée contre une zone érogène. En fait, toute forme d'abus suscite l'humiliation dans l'esprit d'un individu, car elle lui donne l'impression d'être soumis au pouvoir d'un autre. La personne humiliée ne peut garder la tête haute car, je l'ai noté auparavant, cette attitude est le signe d'un esprit indépendant et libre. Baisser ou courber la tête est aussi un signe de honte, en relation avec la fonction sexuelle du corps. Comme la sexualité ne peut être niée, le sentiment d'humiliation qui lui est associé serait continuellement présent, ce qui rendrait fou n'importe qui. Les femmes qui portent ce fardeau répriment l'humiliation en tendant de façon chronique les muscles situés à la base de la tête. Parfois, ces muscles contractés se nouent à la jonction du cou et du torse, ce qui est communément appelé la « bosse de bison ». Celle-ci se rencontre rarement chez les hommes. Un fort sentiment d'humiliation se traduit chez eux par un cou raccourci. Contrairement aux femmes, les hommes sont rarement humiliés pour leur comportement sexuel et ceux qui l'ont été par leur mère se rattrapent en général sur leur femme.

La culpabilité est un autre sentiment important dans cette discussion. La culpabilité est étrange, car elle ne se traduit pas sur le corps par une perturbation particulière. C'est pourquoi je l'ai appelée une émotion de « jugement (3) ». Le sentiment de culpabilité est associé à l'impression d'avoir fait quelque chose de mal. Nous sommes constamment en train de juger notre attitude comme bonne ou mauvaise, juste ou criminelle. La culpabilité peut naître de la violation d'un code de conduite, mais de nombreuses personnes qui commettent des crimes ne se sentent pas coupables, tandis que d'autres se sentent coupables sans avoir le sentiment d'avoir violé une quelconque règle. Manifestement, le *sentiment* de culpabilité doit avoir une cause plus profonde, à savoir l'impression de la personne d'avoir quelque chose de mauvais en elle. Nous pouvons comprendre un peu ledit sentiment en examinant ce qui suit : je demande toujours à mes patients s'ils ressentent une quelconque culpabilité quant à leur sexualité, en particulier en raison de la masturbation enfantine. Nombreux sont ceux qui admettent s'être masturbés étant enfants, et généralement avec un sentiment de culpabilité. Certains, néanmoins, ne ressentent aucune culpabilité, bien que leurs parents leur aient dit que c'était mal.

---

3. Alexander Lowen : *Le Plaisir*.

Comme une de mes patientes l'a formulé : « Comment cela pouvait-il être mal, puisque c'était si agréable ? » Mais si, pour une raison ou pour une autre – disons la peur ou la honte – ce n'était pas si agréable, on pourrait se sentir coupable.

A mon avis, la culpabilité est liée au sentiment global du corps. Quand on se *sent* bien, on ne peut se *sentir* coupable de quoi que ce soit. Selon la même logique, une personne n'éprouvant aucune sensation physique ne peut pas non plus se sentir coupable. On se sent bien quand la vie ou l'esprit se répand pleinement et librement dans le corps. Cela ne sera pas le cas si de fortes tensions du corps limitent ou brisent l'esprit de la personne ; elle se sentira alors mal ou évitera de ressentir quoi que ce soit. Dans le premier cas, elle aura conscience de receler une certaine culpabilité. Ce sentiment sera lié à la répression de sa sexualité ou de sa colère. J'ai constaté que des patients qui éprouvent de la culpabilité à l'égard de leurs parents perdent ce sentiment dès lors que leur colère contre leurs parents a pu s'extérioriser complètement au cours de la thérapie.

La sensation est la vie du corps, tout comme la pensée est la vie de l'esprit. Si une personne peut percevoir son état de tension non comme une douleur ou une souffrance mystérieuse, mais comme une défense face à certaines impulsions, sensations ou sentiments, son énergie sera mobilisée en vue d'un relâchement des tensions et d'une expression adéquate des sensations et sentiments. Mais ce n'est pas une tâche facile. Savoir et sentir combien on nous a fait mal peut être une immense source de souffrance. Néanmoins, le seul moyen de devenir libre est de percevoir nos tensions et de sentir leur lien avec les sentiments de peur, de colère et de tristesse que nous avons réprimés ou réprimons. Assez souvent, la prise de conscience entraîne l'expression spontanée du sentiment suivie d'une décharge conséquente de la tension. De nombreux patients m'ont dit qu'ils avaient pu parler tout à fait spontanément dans des situations douloureuses et que cela avait eu des répercussions heureuses sur leur relation de couple et aussi que leur estime de soi avait monté.

Nous réprimons nos sentiments par peur de ne pas savoir les maîtriser. Cette peur a son origine dans notre vécu d'enfant. Devenu adulte, nous ne sommes plus ni désarmé ni dépendant et nous comprenons mieux la vie. Mais certaines personnes ont besoin d'un thérapeute pour accéder à leurs sentiments les plus profonds. La colère réprimée peut être intense au point de devenir meurtrière, et la personne qui l'étouffe ne comprend pas que la colère refoulée est comme un explosif prêt à sauter et à blesser des spectateurs innocents. Prendre conscience de sa colère octroie un certain contrôle et, de ce fait, un minimum de sécurité. De nombreux patients ont peur de leur tristesse, car elle est très proche du désespoir. Mais des pleurs réprimés sont une force corrosive qui endommage nos organes internes, en particulier nos intestins. Selon moi, les gens qui souffrent d'une forme ou d'une autre de colite pleurent intérieurement parce qu'ils ont peur de pleurer extérieurement (4).

Pour retrouver notre grâce et notre santé, nous devons sentir chacune des parties de notre corps. Mais, nous l'avons vu, ce n'est pas le cas de la majorité des gens. Nous savons tous que nous avons un dos, par exemple, mais peu d'entre nous sentent les tensions dans leur dos ou savent s'il est souple ou raide. Je dois souvent démontrer à un patient qu'il est possible d'être étendu sur le tabouret bioénergétique sans souffrir, puisque le dos est – ou devrait être – flexible. Un dos sans sensations ne peut assumer les fonctions d'un dos souple et vivant. La capacité de garder une position ou de l'abandonner quand nécessaire, par exemple, dépend de la souplesse. La personne raide qui ne peut littéralement pas se pencher est également inflexible dans ses attitudes.

Toute partie du corps chroniquement tendue et sans aucune sensation est une zone de trouble potentiel qui peut ne plus fonctionner. Les tensions dans le cou ou dans le bas du

4. Alexander Lowen : *A Psychosomatic Illness* (Bioenergetic Analysis 2 ; 1986).

dos peuvent aboutir à un affaissement des vertèbres et à une hernie discale. Dans certains cas, les tensions sont si fortes qu'il en résulte des difformités exigeant une intervention chirurgicale. Celle-ci aurait pu être évitée si la personne avait pris conscience de ses tensions musculaires et des attitudes qu'elles traduisent.

Le plus important, pour améliorer la santé d'un patient, est d'abord d'établir le degré de sensibilité de chaque partie de son corps. L'exercice suivant va vous permettre de déterminer l'intensité de vos sensations corporelles. Ne perdez pas de vue le fait que l'aptitude à sentir son corps diminue chez la plupart des gens au fur et à mesure que leurs mouvements s'éloignent de la tête et se rapprochent des pieds.

Exercice n° 6 :

Sentez-vous votre visage ? Etes-vous conscient(e) de son expression ? Sentez-vous si votre bouche est relâchée ou serrée ?

Ressentez-vous une tension dans votre mâchoire ? Pouvez-vous la remuer librement et sans douleur vers l'avant, vers l'arrière ou de côté ?

Ressentez-vous une tension dans le cou ? Pouvez-vous remuer la tête librement, à droite et à gauche, vers le haut et vers le bas ?

Vos épaules sont-elles serrées ? Pouvez-vous les faire bouger facilement en avant et en arrière, vers le haut et vers le bas ?

Sentez-vous votre dos ? Est-il raide ou souple ?

Maintenez-vous habituellement votre poitrine gonflée ou creusée ? Votre poitrine bouge-t-elle librement quand vous respirez ?

Votre diaphragme est-il relâché ? Votre respiration est-elle abdominale ?

Votre pelvis est-il libre ? Bouge-t-il quand vous marchez ? Le maintenez-vous habituellement en avant ou en arrière ?

Sentez-vous votre dos toucher la chaise quand vous êtes assis ?

Sentez-vous vos pieds toucher le sol quand vous êtes debout ou quand vous marchez ? Sentez-vous habituellement vos pieds ?

Une autre manière pour moi d'évaluer la sensibilité du corps est de prier le patient de dessiner la silhouette d'un homme et d'une femme sur deux feuilles de papier différentes. La plus ou moins forte perception du corps, ainsi que le siège de cette perception sont traduits par le dessin, plus ou moins complet, des figures et par le degré de vie qu'ils leur donnent (fig. 8). Certains patients dessinent par exemple des personnages sans pieds ni mains, ou sans yeux ni expression sur le visage. De tels personnages dénotent clairement une absence de sensations dans ces parties du corps. D'autres personnes dessinent des personnages unique-

8. Les dessins révèlent la façon dont le patient ressent son corps. Une silhouette segmentée dénote un sentiment de séparation des différentes parties du corps et le manque de sens du moi, tandis qu'une silhouette composée de bâtonnets dénote l'absence de sensations, le sentiment de ne pas avoir de corps.

ment avec des bâtonnets, ce qui est le signe d'une absence totale de sensations corporelles. Cela ne signifie pas que de telles personnes ne ressentent pas une piqûre d'épingle, bien sûr, mais plutôt qu'elles sont incapables d'établir un lien entre leur corps et des sentiments comme la tristesse, la joie ou la peur.

Une série de sensations dont nous n'avons pas parlé sont les sensations sexuelles. Dans le chapitre suivant, je vais examiner ces sensations afin de déterminer leur rôle dans la grâce et la spiritualité du corps.

6

Sexualité et spiritualité

Comme nous l'avons vu dans des chapitres antérieurs, un grand nombre de personnes croient que la sexualité et la spiritualité sont diamétralement opposées. Pour elles, la spiritualité est en rapport avec la tête, tandis que la sexualité se situe à l'extrémité inférieure du corps. Cette conception est une distorsion de la réalité, car tout être humain est sexuellement différencié dans chacune de ses cellules. Chez l'homme, chaque cellule du corps a deux chromosomes Y, contrairement aux cellules du corps féminin qui ont chacune un chromosome X et un chromosome Y. De façon analogue, la spiritualité est une fonction faisant participer le corps entier. Dissocier la spiritualité de la sexualité aboutit à une spiritualité abstraite, et dissocier la sexualité de la spiritualité aboutit à une sexualité purement physique. Cette dissociation provient de l'isolement du cœur, qui rompt le lien entre les deux extrémités du corps. Lorsque le sentiment d'amour, venant du cœur, gagne la tête, on se sent en relation avec l'univers et l'universel.

Quand il se répand dans le pelvis et dans les jambes, on se sent relié à la terre et au particulier. Par son mouvement ascendant notre esprit est yang, par son mouvement descendant il est yin. Un principe fondamental de la bioénergie établit que le flux d'excitation ascendant et descendant est d'ordre pulsatif. Autrement dit, il ne peut pas plus se répandre dans une direction que dans une autre. En termes de sentiments ou de sensations, l'Homme n'est pas plus spirituel que sexuel.

Quand l'esprit est complètement présent dans un acte, celui-ci acquiert une qualité spirituelle en raison de la transcendance du moi. Cette transcendance peut être vécue de façon très intense dans l'acte sexuel dès lors que ce dernier conduit l'un et l'autre partenaire à fusionner dans la danse de la vie. Quand cette fusion se produit, les amants transcendent les limites du moi pour s'unir avec les forces plus vastes de l'univers.

L'amour est la pierre angulaire d'une telle fusion. L'intimité entre un homme et une femme est un sentiment de même nature que celui qui unit une mère et un enfant, une personne et son animal familier, les hommes entre eux. L'amour est un état d'excitation durable qui varie en intensité selon la situation. Le même genre d'excitation se produit dans l'union mystique entre une personne et son dieu. Naturellement, l'excitation ressentie par deux amants l'un près de l'autre a une dimension supplémentaire, car elle se répand vers le bas de leurs corps, stimulant fortement les organes génitaux. Quand cela se produit, l'excitation et la tension atteignent un degré tel que la personne ressent le besoin impératif d'avoir un contact plus intime et de décharger l'excitation. Le bonheur issu du rapport sexuel se compose de deux parties :

– le plaisir obtenu par l'excitation du contact ;

– la satisfaction résultant de la décharge génitale de l'excitation.

Le plaisir initial est sensuel et anticipé ; le plaisir provenant de la détente orgastique est purement sexuel et extrêmement satisfaisant. Au paroxysme de l'orgasme, il confine à l'extase.

Pour quelques rares personnes, les relations sexuelles sont profondément bouleversantes : ce sont des expériences dans lesquelles tout le corps participe et où l'excitation sexuelle est intense. La surface du corps se charge, les yeux étincellent et la peau est humide, chaude et brillante. Les zones érogènes se remplissent de sang car le cœur, partageant cette excitation, l'envoie à la surface. Quand les yeux des amants se rencontrent, un frisson d'excitation électrise leur corps entier. Le désir de contact est très fort. Si le contact se fait par un baiser, le corps devient doux et flexible et la personne a l'impression agréable que le bas-ventre fond. A ce moment, les parties génitales sont chargées de sang, mais la charge n'est pas écrasante car elle est essentiellement limitée à l'abdomen. Le désir d'un contact plus profond, plus intime conduit à la relation sexuelle. Avec la pénétration se produit une accalmie momentanée, puis commence la danse rythmique aboutissant à l'orgasme.

Tout cela se produit spontanément dans le cas où deux personnes sont profondément amoureuses. Elles sont poussées à la relation sexuelle presque comme si elles étaient en transe, bien que conscientes de ce qu'elles font. Au paroxysme de l'orgasme cependant, il est possible qu'elles perdent presque connaissance. La décharge énergétique est si forte que l'ego est submergé par la sensation de libération. Le sentiment de fusion entre les deux corps peut être si complet que les partenaires ont l'impression de ne plus former qu'une seule personne. En même temps, ils peuvent avoir l'impression de ne plus habiter leurs corps.

Après une forte décharge orgastique, on se sent profondément calme. Le sommeil peut survenir avant que la conscience du moi ne revienne. Cet assombrissement de la conscience est appelée *la petite mort*. Après cette expérience, on se sent revivre.

Dans l'expérience mystique comme dans l'expérience orgastique existe un sentiment de communion avec certaines forces supérieures de l'univers. Mais, tandis que l'expérience mystique est harmonieuse et tranquille, l'expérience orgastique est impétueuse et a la nature d'un tremblement de terre. Dans le roman d'Hemingway (1), le héros, après un tel orgasme, dit avoir senti la terre bouger. Dans l'expérience mystique, la personne abandonne son moi ; dans l'orgasme, le moi est englouti dans un flot d'énergie et de sensations. Mais pour éprouver un sentiment aussi puissant, il faut maintenir l'élaboration de l'excitation jusqu'à ce qu'elle explose d'elle-même. Cela exige en fait un moi très fort, car un moi faible aurait trop peur de déclencher un cataclysme. C'est comme l'expérience des montagnes russes à la foire. Pour ressentir toute l'excitation, il faut garder les yeux ouverts et savourer la montée et la descente vertigineuses des voitures.

Les gens ne se rendent en général pas compte que c'est l'acte sexuel qui a inspiré la méthode primitive de faire du feu en tournant rapidement un bâton dans une rainure afin d'engendrer la chaleur nécessaire à l'allumage des brindilles et des feuilles mortes. Friction-chaleur-flamme est un enchaînement d'actions, dont l'objectif est de produire une magnifique flamme. Malheureusement, l'acte sexuel ne se termine pour la plupart des gens que par quelques étincelles, pas dans cette flamme qui consume la chair, la transformant en pur esprit, ce que fait la transcendance.

On peut aussi atteindre la transcendance par des actes autres que sexuels. Nous connaissons la transcendance à chaque fois que nous sommes mu par une grande passion ou bouleversé par une expérience extraordinaire. Dans les deux cas, l'esprit reçoit une telle charge qu'il déborde des limites du moi. Quand cela se produit, nous n'avons plus l'impression d'avoir un esprit ; nous nous sentons comme *possédé* par lui. Une cérémonie vaudoue – à laquelle j'ai pu assister à Haïti – est un exemple religieux d'une telle possession : une personne entra en transes en dansant au battement continu et

1. Hemingway : *Pour qui sonne le glas.*

prolongé des tambours ; elle se mit ensuite à avaler du feu, ce qui sembla ne lui faire aucun effet. Dans la religion soufie, c'est une danse circulaire et prolongée qui induit la transe. Dans cet état, le moi est dissous, transcendé. Lorsque l'archer zen mentionné au chapitre III constate : « Quelque chose fait partir la flèche », ce « quelque chose » est son esprit qui prend totalement possession de son être et dirige le mouvement. C'est une vraie expérience transcendantale.

Tout acte de création recèle de la transcendance. Pour que cette dernière se produise, deux facteurs sont nécessaires : l'inspiration et la passion. L'inspiration intrinsèque à la production d'une œuvre d'art relève toujours un peu de l'esprit divin, permettant à l'artiste d'abandonner son ego et de fusionner avec son œuvre. Grâce à cet abandon et à cette fusion, quelque chose de nouveau prend naissance, qui dépasse l'artiste. Cela vaut aussi bien pour un magnifique tableau que pour une composition musicale magistrale. L'un et l'autre recèlent un esprit qui peut profondément émouvoir les exécutants et le public. De telles créations semblent avoir une vie par elles-mêmes.

Existe-t-il un acte plus créatif que celui de la génération d'un nouvel être vivant ? L'amour, dit-on, commence par un éclat dans les yeux et aboutit à la naissance d'un enfant. Vu sous cet angle, l'acte sexuel est l'essence même de la créativité. Alors que c'est toujours le cas profondément, à un niveau biologique, le mystère et la grandeur du rapport sexuel ne seront ressentis que si l'on se laisse emporter par la divine passion de l'amour.

L'incapacité de vivre l'orgasme qui conduit à la transcendance est due à une absence de passion dans les relations sexuelles. Il arrive souvent que des expériences douloureuses aient étouffé très tôt cette passion, tant pendant le stade oral que pendant le stade œdipien du développement de l'enfant. Le stade oral s'étend sur les trois premières années de la vie, période pendant laquelle les besoins de l'enfant en nourriture, soutien et amour sont satisfaits par sa mère. Durant cette période, le niveau d'énergie de l'enfant atteint un degré qui rend la passion possible. Ces besoins peuvent être satisfaits par l'allaitement, puisque cet acte crée le contact le plus intime, excitant et complet entre la mère et l'enfant. La plupart des Occidentaux ne vivent cette sensation profondément satisfaisante que pendant une période ne dépassant pas neuf mois, alors que l'allaitement dure généralement trois années ou plus dans les pays en voie de développement et dans les sociétés primitives. Un enfant sevré trop tôt ressentira éventuellement la perte du sein comme la perte de son monde, ce qui peut lui briser le cœur. Une telle perte, confirmée par des réponses parentales inadéquates durant le stade œdipien, peut entraîner le sentiment suivant : « Je n'aurai jamais ce que je veux, alors à quoi bon m'exciter ? Cela ne peut que me faire souffrir. »

Un enfant qui n'est pas nourri au sein ne sera, pour autant, privé ni de soins ni de nourriture. Mais les bébés ont besoin de sentir le corps de leur mère, de sentir sa vie et d'absorber son énergie. Au cas où le contact est perdu en raison de la mort, d'une maladie ou d'une dépression de la mère, il est fort probable que l'enfant sera brisé. Comme nous l'avons noté dans un chapitre antérieur, l'enfant s'arme contre cette douleur en retenant sa respiration et en tendant les muscles de sa poitrine. Cela a pour effet de limiter son aptitude ou son penchant à se tendre vers l'amour et à s'abandonner à lui à chaque fois que la possibilité d'un étroit attachement se présente. Sa vie sexuelle d'adulte en sera affectée puisqu'elle ne peut engager son cœur entier.

Un autre facteur préjudiciable à l'excitation de l'enfant provient de l'incapacité des parents de tolérer un haut niveau d'énergie chez leur enfant. Ils l'accusent d'être trop exigeant, trop actif, de vouloir trop de choses. Ils soutiennent que les enfants doivent être vus et non entendus. A l'âge de trois ans, beaucoup d'enfants ont déjà souffert d'une forte perte de vitalité. J'ai vu tant d'enfants à l'air apathique, aux yeux éteints et à la voix faible, transportés dans une poussette par une mère ou une jeune femme indifférente.

La passion et son assouvissement sexuel peuvent en outre être amoindris par des événements qui se produisent durant l'éveil de la sensibilité sexuelle du stade œdipien, c'est-à-dire entre l'âge de trois et six ans. Pendant cette période, un petit garçon est sexuellement attiré par sa mère, une petite fille par son père. Bien que l'attirance soit forte et ait un côté excitant, l'enfant n'éprouve pas le désir d'avoir un contact génital. En fait, un tel contact serait effrayant pour lui. Dans une famille saine, l'attirance sexuelle pour le parent de sexe opposé s'efface quand l'enfant entre dans ladite phase de latence et a plus d'activités extérieures à sa famille. Dans un foyer malsain, les parents encouragent l'intérêt sexuel de l'enfant – ou y réagissent. Trop souvent, ils ont un comportement de séducteur, recherchant chez l'enfant de sexe opposé une excitation que l'un ou l'autre ne trouve pas chez son partenaire. Cette attitude introduit un aspect adulte dans la relation, les sensations sexuelles étant dans ce cas orientées vers les organes génitaux. Ces sensations attirent l'enfant, qui ne peut s'y soustraire, car il est tributaire de l'approbation et du soutien de ses parents, mais elles l'effraient et lui répugnent également. Il ne peut pas céder non plus à ces sensations par peur de l'inceste. En général, toute réaction sexuelle de la part de l'enfant l'exposera à être condamné et humilié. Bien qu'ils soient complices, les parents rendent les enfants responsables de ces réactions sexuelles, projetant sur eux leur propre culpabilité en matière de sexe. Pour se défendre, les enfants se coupent de leurs sensations sexuelles, séparant ainsi l'amour du désir sexuel, ce qui leur permet de continuer à aimer leurs parents.

Tout comme pour les autres sensations, la suppression des sensations sexuelles aboutit à une tension musculaire chronique, qui empêche l'excitation d'atteindre le pelvis ou le pelvis de se mouvoir en réponse à une excitation. Anne était un bon exemple de ce genre de situation. Quand je la vis pour la première fois, c'était une femme attirante ayant à peine dépassé la quarantaine, célibataire, mais ayant liaison après liaison. Elle n'était pas déprimée, mais sentait qu'elle ne pouvait réussir à, selon l'expression courante, « agir de façon cohérente ». Il suffisait, pour comprendre Anne, de regarder son corps, dont les deux moitiés étaient dissemblables, car il racontait l'histoire de sa vie. La partie inférieure, bien que pleine et lourde, n'irradiait que peu de vie et de sentiments ou sensations. La partie supérieure, bien qu'étroite, reflétait plus de vitalité et sa peau était plus fraîche. Elle avait une poitrine pleine et bien formée, qui lui donnait un sentiment de féminité. Ses grands yeux au regard doux et attirant plaisaient beaucoup aux hommes. Elle les séduisait, mais n'avait pas pour autant de rapports avec n'importe qui. Elle avait bien eu plusieurs liaisons, mais en dépit de son ardeur apparente et de son attachement, aucun de ces hommes n'avait voulu l'épouser.

La distorsion entre les deux moitiés du corps d'Anne indiquait un clivage de sa personnalité. Une partie était indépendante et performante, la rendant tout à fait capable de subvenir à ses besoins. Je reconnus, dans la partie supérieure de son corps, cette partie d'elle-même qui était largement sous le contrôle de son ego. La deuxième partie de sa personnalité transparaissait dans la partie inférieure de son corps, relativement passive et sans vie. Bien qu'ayant une vie sexuelle active, sa sensibilité dans ce domaine était réduite et elle n'avait encore jamais eu d'orgasme. L'excitation qu'elle éprouvait pour un homme était due au désir ou au besoin qu'elle décelait en lui, mais cette excitation n'aboutissait jamais à la passion. Cette situation, généralement désespérée pour une femme, ne semblait cependant pas affecter Anne. En groupe, elle était vive, parfaitement capable d'amuser les autres avec ses histoires et ses plaisanteries. C'est seulement après deux ans de thérapie qu'elle révéla le profond désespoir qui l'habitait et qu'elle avait sciemment dénié. Dès le début de la thérapie, cependant, je pus déceler qu'Anne était persuadée ne jamais pouvoir obtenir ce qu'elle désirait. Elle avait renoncé très tôt à se marier, à fonder une famille et, avant d'entreprendre sa thérapie avec moi, n'avait jamais eu aucune idée de ce qu'elle attendait de la vie.

La thérapie progressant, Anne abandonna cette façade ouverte et insouciante et commença à être déprimée. Bien que peu en forme, elle continua à travailler, mais sans trouver beaucoup de sens à cette activité. Pendant plusieurs mois, elle exprima le désir de mourir, non qu'elle pensât au suicide, mais sa vie lui semblait vide. Ce désespoir était une étape indispensable à sa guérison, car il la forçait à devenir sérieuse et à faire face à la réalité de son être, celle qui transparaissait à travers son corps.

Anne était un personnage tragique. Son activité sexuelle était dénuée à la fois de joie et de spiritualité. Bien qu'elle feignît de se mouvoir aisément, de façon détendue et agile, son corps n'était pas gracieux.

Du fait qu'elle résistait à l'excitation sexuelle, la partie inférieure de son corps était lourde. Cet état de mort était maintenu par la constriction de sa taille, qui empêchait le courant d'excitation de descendre dans son corps, comme il doit normalement le faire. De même, sa respiration ne descendait pas jusqu'à son abdomen. Malgré tout, je pouvais sentir qu'elle avait été une petite fille pleine de vie.

Les sensations sexuelles sont supprimées quand elles deviennent une source de souffrance, d'humiliation et de danger et le vécu d'Anne n'avait rien d'exceptionnel. Elle s'était très tôt profondément attachée à son père et ce lien très fort avait duré jusqu'à la mort de ce dernier 2 ans avant le début de la thérapie d'Anne. Elle aurait fait n'importe quoi pour lui, attitude qu'elle transféra plus tard sur d'autres hommes. Il lui était attaché de la même façon et était très conscient de l'épanouissement sexuel de sa fille. Bien que n'ayant eu conscience d'aucune avance sexuelle manifeste, Anne reconnaissait l'intérêt que lui portait son père. Elle savait que, contrairement à sa mère, elle l'excitait. Il se contrôlait, mais ses sensations et sentiments le culpabilisaient, une situation qu'il projetait sur sa fille, appelant « sale » toute sensation sexuelle qui se manifestait chez elle. Quand elle exprima le désir de fréquenter des garçons de son âge, il la traita de prostituée. Il était sensible à sa façon de s'habiller et critiquait son maquillage. Pourtant, lui-même n'hésitait pas à se divertir avec d'autres femmes ou à faire des remarques déplacées à la maison. Anne conçut ainsi sa propre sexualité comme quelque chose de « sale », un sentiment qui se logea dans la partie inférieure de son corps. Elle n'eut d'autre solution que celle de se dissocier de sa sexualité, tout en reconnaissant que c'était ce que son père attendait d'elle. Quand elle atteignit l'âge adulte, l'habitude de museler sa sexualité était si ancrée en elle qu'Anne désespérait parfois de jamais trouver un homme qu'elle pourrait pleinement aimer.

Ma tâche de thérapeute était d'aider à ramener la vie dans la partie inférieure de son corps. Ce n'était pas une tâche facile eu égard au grand nombre d'années pendant lesquelles sa sensibilité sexuelle avait été supprimée. Il me fallait approcher le problème du point de vue à la fois psychologique et physique. Sur le plan psychologique, il fallait qu'Anne parvînt à se comprendre elle-même et à comprendre son passé. Physiquement, elle devait mobiliser la partie inférieure de son corps pour réussir à la sentir. Des exercices spéciaux approfondirent sa respiration, la mettant en contact avec la souffrance contenue dans son abdomen, une souffrance qu'elle ne s'autorisait pas à ressentir en temps normal. En même temps, elle commença à pleurer, mais elle mit longtemps à se laisser aller à pleurer plus profondément. Elle avait beaucoup de mal à mobiliser sa colère, en grande partie parce que ce sentiment avait été initialement dirigé contre son père, qui l'avait utilisée, mais qu'elle aimait malgré tout et dont elle se sentait dépendante. Elle ne pouvait pas se mettre en colère contre les hommes qui l'utilisaient, car elle sentait qu'elle les y autorisait. Ce fut une tâche difficile, car je ne disposais d'aucun moyen pour aider Anne à recouvrer sa sensibilité sexuelle tant qu'elle ne réussirait pas à se concevoir comme une personne ayant des droits qu'elle pouvait revendiquer et défendre.

La thérapie progressant, Anne avait davantage le sentiment que son père et son frère avaient plus ou moins abusé d'elle sexuellement. Le fait de comprendre qu'ils auraient pu le faire concrètement la fit sortir de l'impasse dans laquelle elle se trouvait. Il lui était devenu possible de mobiliser sa rage meurtrière. Respirant lourdement et frappant le lit avec une raquette de tennis, elle cria sa rancœur avec une force et une fureur que je n'avais encore jamais vues jusqu'alors. Le feu allumé en elle pouvait finalement déboucher sur la passion amoureuse.

La séduction sexuelle d'un enfant par un parent est très courante dans notre culture. Quand des parents ne trouvent pas satisfaction dans leurs relations conjugales, ils se tournent vers leurs enfants pour recevoir d'eux affection, admiration et excitation sexuelle. Cela débouche parfois sur des relations sexuelles mais, le plus souvent, la séduction prend la forme d'une intimité qui expose l'enfant à la sexualité du parent du sexe opposé. Dans de trop nombreux foyers, les parents ont une attitude indécente vis-à-vis de leurs jeunes enfants, croyant à tort que ceux-ci ne sont pas conscients de ce qui se passe. L'enfant, à la fois stimulé et excité par l'intimité sexuelle avec un parent, se sentira « différent », ce qui l'amènera à développer une personnalité narcissique (2). Parallèlement, l'enfant est effrayé par la possibilité d'un inceste et menacé par la jalousie et l'hostilité du parent du même sexe. Pour se prémunir contre ces dangers, il se coupera – comme Anne – de l'excitation sexuelle. Dans notre culture, la situation familiale tend à briser les barrières entre les adultes et les enfants en matière de sexe, privant ces derniers de leur innocence. Certains parents tirent même une satisfaction perverse de la liberté sexuelle de leurs enfants. De tels enfants, devenus adultes, adoptent une attitude supérieure, tout en recelant de profonds sentiments d'insécurité et d'inadaptation. Une attitude superficielle libre, voire dissolue, dans le domaine sexuel, cache une anxiété sous-jacente et une certaine culpabilité par rapport aux sensations sexuelles.

---

2. Alexander Lowen : *Gagner à en mourir, une civilisation narcissique.*

La séduction sexuelle a des effets nocifs sur la personnalité de l'enfant, affectant à la fois son corps et son comportement. La lourdeur et la passivité de la partie inférieure du corps, telles qu'elles s'étaient développées chez Anne, ne sont qu'un des aspects des dommages éventuellement entraînés par un pareil comportement. Très souvent – et spécialement chez les garçons – la sensation sexuelle n'est pas entièrement supprimée ; elle est retenue par une certaine rigidité musculaire autour du pelvis. Dans ce cas, le pelvis ne se meut pas librement, si bien que la personne atteint rarement la phase de mouvements involontaires qui permettent la complète décharge orgastique. L'excitation génitale a beau être forte, elle aboutira – pour de nombreux hommes – à l'éjaculation précoce, car la rigidité du pelvis limite sa capacité de contenir la charge jusqu'à ce qu'elle se répande dans le corps entier. Dans des cas particulièrement sérieux, la puissance d'érection peut même en être affectée.

La grâce est le signe qu'une personne vit pleinement et réellement sa sexualité. La grâce ne signifie pas aptitude à « balancer » le pelvis, ni danse du ventre, ni même plongeon du haut d'un tremplin élevé. Ce terme décrit un corps qui est doux et moelleux, imprégné d'un flux d'excitation ainsi que d'un sentiment de vie et de plaisir à bouger. Une telle personne ne fait pas pivoter ses hanches en marchant ; son pelvis bouge au contraire librement, ondoyant avec le corps entier. Lorsqu'une personne marche de façon à sentir le sol à chacun de ses pas, l'onde d'excitation qui part de ses pieds est coordonnée avec l'onde respiratoire qui, comme nous l'avons vu plus haut, met le pelvis en mouvement à chaque respiration. Ce genre de démarche se rencontre plus souvent dans les pays en voie de développement, car leurs habitants ne sont pas aussi dominés par leur ego que les Occidentaux. Nous sommes peut-être sexuellement plus libres en Occident, mais ces peuples sont plus vivants sexuellement.

Un corps libre des injonctions venant du surmoi (« Sois une gentille petite fille, obéis à ton père et ta mère, ne lève pas la main sur tes parents... ») est un corps libre de toute tension. Une injonction non dite veut que les enfants contrôlent leurs sensations et sentiments, et on peut l'interpréter ainsi : « Ne perds pas la tête, ne te laisse pas emporter par tes sentiments. » Un minimum de contrôle de soi est positif, mais quand le contrôle devient inconscient, il se fait par le biais d'une tension musculaire chronique et est un processus d'autodestruction. En fait, la tension associée à la peur de perdre la tête est responsable de l'arthrite cervicale et des migraines nerveuses. Une tension similaire à la base de la colonne vertébrale, à l'endroit où elle s'articule avec le sacrum, est à la source de la plupart des problèmes du bas du dos. Cette tension chronique, agissant de concert avec la tension des muscles – comme les quadriceps fémoraux qui relient le pelvis aux jambes – immobilise le pelvis de telle manière qu'il est incapable de bouger spontanément.

Le pelvis immobilisé est incliné soit vers l'avant, soit vers l'arrière (fig. 9 A à C). Dans son état normal, le pelvis se meut librement vers l'avant et vers l'arrière, suivant le mouvement naturel du corps et en harmonie avec les ondes respiratoires. L'onde, qui descend dans le pelvis à l'expiration, le fait basculer vers l'avant. Avec l'inspiration, le pelvis se meut vers l'arrière. Ces mouvements involontaires peuvent être très légers en position assise ; ils deviennent plus amples pendant la marche. Au paroxysme de l'excitation sexuelle, durant l'orgasme, ils deviennent rapides et puissants. Ils ne se produisent pas si le pelvis est immobilisé dans une position ou dans une autre. Dans la position indiquée figure 9 B, le pelvis est rejeté vers l'arrière et prêt à l'action. La position figée vers l'arrière dénote clairement une retenue de la sensation sexuelle. Ce sont souvent les femmes qui ont cette position, car ce sont elles qui reçoivent le plus souvent l'injonction de retenir leurs sensations sexuelles. Chez les hommes, la perturbation la plus fréquente est la position figée vers l'avant (fig. 9 C), qui a une signification pseudo-agressive. Amener le pelvis vers l'avant est un mouvement sexuellement agressif, mais comme le pelvis est immobilisé dans cette position, ce n'est qu'une apparence. Le pelvis doit

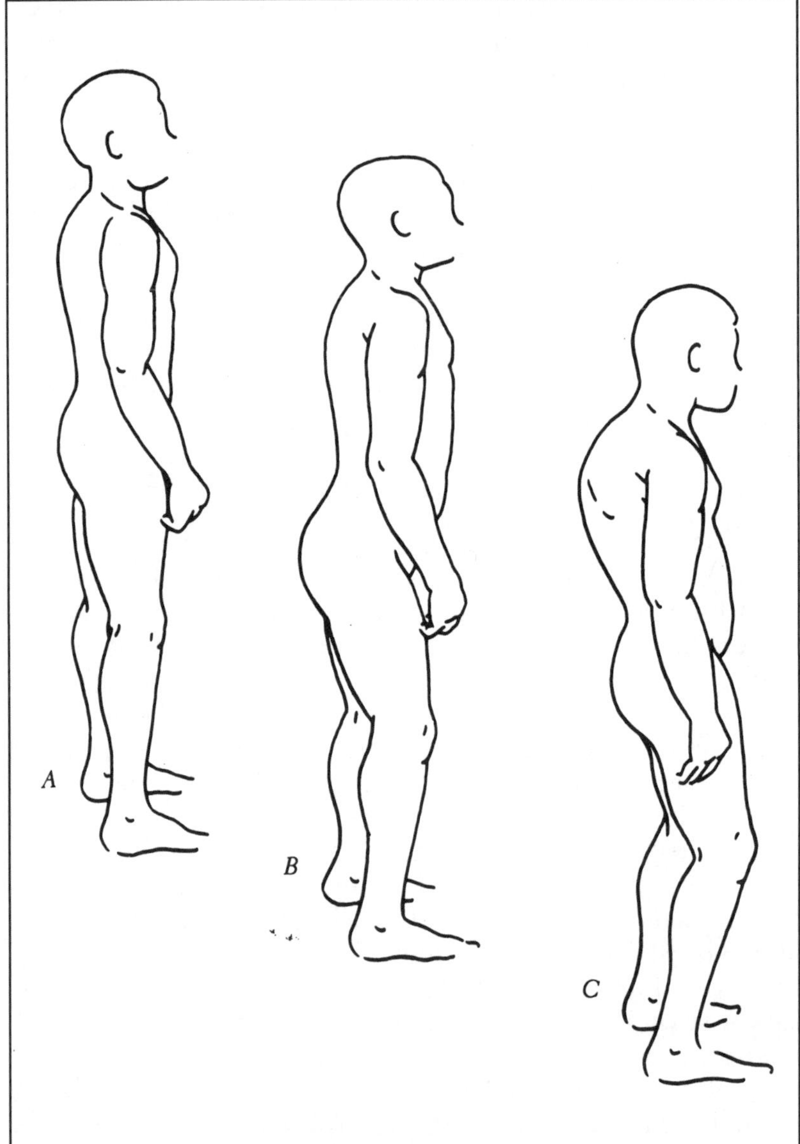

9. **Position du pelvis en réponse à la tension.**
A. Position normale, non bloquée, du pelvis.
B. Pelvis rejeté en arrière, exagérant la concavité du bas du dos.
C. Pelvis bloqué en avant, entraînant un affaissement du dos.

être poussé vers l'arrière comme un chien de fusil avant que le mouvement vers l'avant ne soit possible. Quand le pelvis est maintenu vers l'avant, le dos est arrondi et affaissé, comme chez le chien qui marche la queue entre les pattes.

C'est souvent parce qu'elle a été maltraitée qu'une personne maintient son pelvis dans cette position. Toute forme d'abus sexuel va miner sa fierté naturelle et la rendra craintive et soumise ; la fessée est une punition courante qui produit cet effet. Un enfant qui reçoit une fessée rentrera et contractera inévitablement ses fesses en réaction à la douleur. Mais le dommage n'est pas simplement physique. Etre fessé est une expérience humiliante qui inflige une sévère blessure narcissique à l'ego. Dans certains cas, l'enfant est même obligé de collaborer à sa propre punition en exposant son postérieur, penché en avant, allongé sur les genoux de ses parents, voire en allant lui-même chercher la ceinture ou la baguette. Il y a, à mon avis, d'autres moyens pour discipliner un enfant que ce genre de punitions sadiques. Recevoir des fessées entraînera chez l'enfant des difficultés énormes à se tenir droit avec fierté ou à marcher avec un pelvis libre et dégagé.

La plupart des gens ne sont pas conscients que leur pelvis est figé. Ils peuvent souvent le mouvoir de telle façon qu'il semble libre et non bloqué, mais quand ils cessent leur effort conscient, il reprend sa position figée. Les gens, dont le pelvis est maintenu vers l'avant, doivent impulser leurs mouvements sexuels. Ceux qui maintiennent le pelvis vers l'arrière tendent à retenir leurs mouvements.

Voici un exercice simple qui vous aidera à sentir si votre pelvis est immobilisé.

Exercice n° 7 :

Mettez-vous debout devant un miroir de telle façon que vous puissiez voir votre dos en tournant la tête. Votre dos est-il droit, votre tête est-elle relevée, votre pelvis est-il en arrière ? Maintenant, veillez à ce que vos pieds soient parallèles et écartés d'environ 15 cm ; puis, poussez votre pelvis entièrement en avant. Sentez-vous votre dos s'arrondir ou se courber, vous faisant perdre de la hauteur ? Ramenez le pelvis vers l'arrière. Voyez-vous votre dos se redresser ? Quelle est la sensation associée à chaque posture ? Quelle est votre position habituelle ?

Maintenant, à partir de la position debout, fléchissez légèrement les genoux et essayez de laisser pendre votre pelvis librement pour qu'il puisse se mouvoir comme la main au bout du poignet. Respirez profondément et lentement, en essayant de sentir l'onde respiratoire aller profondément dans le pelvis. Avez-vous conscience qu'un mouvement se produit dans cette posture ? Que ressentez-vous ? Eprouvez-vous une quelconque anxiété en exécutant ce mouvement ? Pour les raisons mentionnées plus haut, la plupart des gens ne la ressentent pas.

Comme nous l'avons vu, toute tension dans quelque partie du corps que ce soit influe sur les réactions sexuelles. Mais la tension du plancher pelvien affecte particulièrement la capacité de se laisser aller à l'orgasme. Chez la plupart des gens, le plancher pelvien est tendu en raison de la crainte inconsciente d'une décharge non désirée en cas de relâchement. Cette peur provient d'une éducation à la propreté datant de la petite enfance. Quand l'éducation se fait avant l'âge de deux ans et demi, l'enfant utilise les muscles du plancher pelvien et du postérieur pour contrôler la fonction d'excrétion, puisque le sphincter anal extérieur ne fonctionne pas avant cet âge. Même lorsque le sphincter anal externe est devenu fonctionnel, la crainte persiste et s'étend ensuite à l'orgasme. Consentir à la libre et complète décharge sexuelle impliquerait l'abandon d'un contrôle acquis avec peine, c'est donc impossible. Plus l'enfant est éduqué tôt à la propreté, plus la tension du plancher pelvien est forte, ce qui entraîne souvent des troubles digestifs. Si les parents réagissent par des purges ou des suppositoires, le problème de l'enfant est accru par un sentiment d'invasion et de violation de son corps. J'ai soigné deux femmes éduquées à la propreté vers l'âge de neuf mois et qui n'avaient, par suite, quasiment aucune sensation dans le pelvis et dans le plancher pelvien.

Deux sphincters entourent l'anus. Le sphincter interne, qui n'est pas soumis au contrôle conscient, reste fermé jusqu'à ce que la matière fécale se soit accumulée dans le rectum. Jusqu'à ce moment, le sphincter externe reste ouvert et relâché. Quand le rectum est plein et que l'on ressent le besoin de déféquer, le sphincter interne se relâche, tandis que le sphincter externe se ferme hermétiquement jusqu'à ce que l'on soit dans la position d'évacuation appropriée. Autrement dit, en l'absence du besoin de déféquer, nous pouvons garder le plancher pelvien relâché et le sphincter externe ouvert, mais bon nombre de personnes redoutent de se souiller en s'abandonnant à la décharge sexuelle. Dans certains cas, cette peur se transforme en une crainte généralisée que « le postérieur ne se vide », comme si une catastrophe – ou un accident – était sur le point de se produire.

En fait, tout sentiment de peur se répercute sur le plancher pelvien. Ainsi, une frayeur soudaine causera une forte contraction, une peur réprimée une tension chronique. Mais nous ne la ressentirons que si nous sommes conscient de cette peur.

Pour pouvoir relâcher le plancher pelvien, il faut prendre conscience de la tension qui l'habite. L'exercice suivant peut vous y aider.

Exercice n° 8 :

Tenez-vous debout les pieds parallèles écartés d'environ 20 cm, les genoux légèrement pliés et le poids du corps en avant. Poussez le pelvis vers l'arrière et vers le bas, comme dans l'exercice précédent. Essayez de pousser le plancher pelvien vers le bas en respirant profondément jusque dans l'abdomen. En même temps, essayez d'ouvrir les sphincters de l'anus, comme si vous vouliez laisser échapper des gaz. (Rien ne sortira, à moins que vous ne reteniez quelque chose à l'intérieur. J'ai fait faire cet exercice des années entières pendant mes cours, et jamais personne n'a connu d'expérience embarrassante.)

Ensuite, remontez l'anus et le plancher pelvien en serrant les fesses. Pouvez-vous sentir la tension se répandre ? Maintenant, essayez d'abaisser le plancher pelvien. Vous semble-t-il plus relâché ? Répétez cet exercice plusieurs fois pour bien comprendre et sentir la différence entre un plancher pelvien tendu et un plancher pelvien relâché.

Pour mieux prendre conscience de la façon dont vous maintenez votre plancher pelvien pendant vos activités normales, répétez cet exercice plusieurs fois pendant la journée, en marchant, assis(e) à un bureau ou pendant n'importe quelle activité. Il est possible que vous ayez à travailler énormément sur cette partie du corps avant de pouvoir la relâcher complètement, mais l'effort sera récompensé par un accroissement des sensations sexuelles.

L'activité sexuelle – comme déféquer et uriner – étant une des fonctions les plus étroitement associées à notre nature animale, il peut nous être difficile d'accepter le lien entre la spiritualité et la sexualité. Si nous ne voyons pas ce lien, c'est que nous avons perdu le contact avec ce qui les unit, c'est-à-dire le cœur. Quand nous aimons notre partenaire sexuel avec tout l'amour contenu dans notre cœur, l'étreinte est aussi spirituelle que sexuelle. Quand nous embrassons Dieu avec l'amour de notre corps, le contact est autant sexuel que spirituel. Cette idée peut sembler hérétique, mais l'activité sexuelle a longtemps été utilisée dans les rites religieux des cultures primitives pour entrer en contact avec la divinité. Même dans la tradition judéo-chrétienne, il fut un temps où la danse faisait partie de nombreuses cérémonies religieuses. Quels que soient les moyens utilisés pour établir un lien sensuel avec l'infini, ils doivent impliquer le corps si ce contact ne doit pas rester un simple concept. Toutes les religions sont d'accord pour dire qu'il faut abandonner son ego pour devenir un avec Dieu. Il n'y a pas de voie plus directe ni plus efficace pour actualiser cet abandon que l'acte d'amour sexuel.

Le chapitre qui suit traitera des conditions qui permettent à une personne de réaliser cette transcendance. Cet état est appelé « enracinement ».

7

Enracinement : le lien avec la réalité

Une énergie diminuée correspondant à une sensibilité réduite, on peut dire que la qualité de notre sensibilité sexuelle dépend de l'intensité de notre énergie ou excitation corporelle. Elle dépend, en outre, de notre degré de grâce, laquelle grâce permet à la charge énergétique corporelle de circuler librement et pleinement. Elle dépend aussi, en dernier lieu, de notre enracinement et de notre lien avec la terre. Si un système énergétique (un circuit électrique par exemple) n'est pas enraciné (c'est-à-dire relié à la terre), une charge trop forte peut envahir le système et le faire exploser. De la même façon, les personnes non enracinées risquent d'être submergées par des sensations ou des sentiments violents, sexuels ou autres. Pour prévenir cette situation, une personne non enracinée est obligée de réduire ses sensations et sentiments qui, sinon, la submergeraient et, par conséquent, la terrifieraient. A l'opposé, une personne enracinée peut supporter une forte excitation, qu'elle vivra comme un sentiment de joie et de transcendance.

Nous autres humains sommes comme des arbres, enracinés dans le sol à une extrémité et touchant le ciel de l'autre. Notre aptitude à nous étirer dépend de notre système d'enracinement. Déracinez un arbre et ses feuilles mourront ; déracinez une personne et sa spiritualité se transformera en une abstraction sans vie.

Certains soutiendront que les êtres humains, contrairement aux arbres, n'ont pas de racines. Cela est faux car, en tant que créatures terrestres, nous sommes reliés au sol par nos pieds et nos jambes. Si ce lien est fort chez une personne, nous disons qu'elle est *enracinée*. Le même terme est utilisé pour dire qu'un conducteur électrique est relié à la terre, afin d'empêcher toute surcharge. La bioénergie utilise le terme de lien pour décrire la relation d'une personne avec la terre, sa matérialité fondamentale. Lorsque nous disons d'une personne qu'elle est parfaitement enracinée ou qu'elle a bien les pieds sur terre, cela signifie qu'elle sait qui elle est et où elle se trouve. Etre enraciné signifie être relié aux réalités fondamentales de la vie : à notre corps, à notre sexualité, aux gens avec lesquels nous sommes en relation. Nous sommes relié à ces réalités dans la mesure où nous sommes relié à la terre.

Pour apprécier les traits de caractère d'une personne, il est important de voir comment elle se tient et si elle est bien reliée au sol. Cela se fait couramment en bioénergie. Une personne qui se sent forte et sûre d'elle se tiendra naturellement droite. Si elle est remplie d'effroi, elle se fera toute petite. Si elle est triste ou déprimée, son corps s'affaissera. Une personne qui essaie de dénier ou de compenser des sentiments d'insécurité se tiendra raide comme un piquet et sa posture sera anormalement rigide.

La façon dont une personne se tient debout a une signification non seulement psychologique, mais également sociologique. Dire d'une personne qu'elle occupe une certaine position dans la société signifie que tous reconnaissent qu'elle y joue un rôle. Nous attendons d'un roi qu'il se tienne royalement, d'un domestique qu'il se tienne humblement et d'un combattant qu'il soit légèrement sur ses avant-pieds, prêt pour le combat. Nous savons qu'une personne de caractère défendra ses convictions, quelle que soit la situation.

Nous savons également que certains adultes, en dépit de leur âge, ne sont nullement autonomes : ils ont besoin du soutien des autres. Leur contact avec le sol étant mécanique, ils n'éprouvent aucune sensation dans les jambes. Bien qu'une table ait des jambes, il ne nous viendrait jamais à l'esprit de dire qu'elle est enracinée. Certes, contrairement aux objets inanimés, les gens ont toujours un minimum de sensibilité dans les jambes. Cependant, certaines personnes – à moins de porter leur attention sur leur corps – n'ont pas de sensations assez fortes pour en être conscientes. Il ne suffit pas de savoir que les pieds sont posés sur le sol. Il faut qu'existe en outre un processus énergétique dans lequel le corps entier est parcouru par l'onde d'excitation qui va dans les pieds et les jambes. La sensation d'enracinement se produit quand l'onde d'excitation atteint le sol puis remonte dans le corps, comme si la terre nous repoussait pour nous maintenir debout. C'est dans cette position que nous pouvons consciemment être enraciné.

Lorsque nous disons que quelqu'un « plane », cela ne signifie pas qu'il n'a pas les pieds sur terre au sens propre, mais qu'il porte plus d'attention à ses pensées – ou plutôt à ses rêveries – qu'au fait d'avancer les pieds l'un après l'autre. Il sait où il va, mais il est peut-être si préoccupé par ce qu'il va faire une fois son objectif atteint que marcher est devenu un automatisme. Il peut même être perdu dans sa rêverie au point de n'avoir aucune conscience de se déplacer. Etant donné qu'à l'état de veille nous sommes pratiquement toujours en train de penser, on peut se demander si un air distrait n'est pas dans l'ordre des choses. Cependant, l'attention oscille normalement à une rapidité suffisante pour être consciente simultanément des préoccupations de l'esprit et des phénomènes corporels. J'ai pris l'habitude, pendant mes conférences, de m'arrêter fréquemment pour évaluer mon état de tension et ma respiration, et pour sentir le contact de mes pieds avec le sol. Mes auditeurs m'en sont reconnaissants, parce que je leur donne le temps de respirer ; quant à moi, cette pause me donne le temps de rassembler mes idées. Le succès d'une conférence est toujours directement proportionnel à l'intensité du contact entre mon corps et mes sensations ou sentiments. La réussite de cette pratique dépend de l'existence d'une forte pulsation énergétique entre le haut et le bas du corps. Lorsque cette liaison énergétique est brisée et que le conférencier n'est pas « enraciné », toute tentative consciente de déplacer l'attention interrompt malencontreusement le contact avec son auditoire. Comme j'effectue depuis longtemps un travail bioénergétique sur mon corps, j'ai réussi à m'enraciner solidement.

Le sentiment de sécurité est déterminé par la qualité de l'enracinement. Une personne bien enracinée se sent en sécurité sur ses jambes et sait que le sol est « là » pour elle. Ce sentiment n'a rien à voir avec la force de ses jambes, mais avec l'intensité de leurs sensations. Des jambes fortes et lourdes peuvent donner l'impression de bien soutenir une personne, mais leur fonctionnement est trop souvent mécanique. Elles trahissent une insécurité fondamentale qui doit être compensée par une forte musculature. On retrouve un manque analogue de sécurité chez les personnes aux jambes insuffisamment développées et aux épaules larges et fortes. Craignant inconsciemment de tomber ou d'être abandonnées, ces personnes utilisent leurs épaules pour se maintenir droites au lieu de chercher un appui dans le sol. Une telle posture crée d'énormes tensions dans le corps et perpétue ainsi toute insécurité sous-jacente.

Le sentiment de sécurité fondamental est déterminé par le comportement de la mère pendant la petite enfance. Les expériences positives – l'amour, le soutien, l'affection et l'approbation – confèrent au corps de l'enfant souplesse, naturel et grâce. L'enfant ressent son corps comme une source de plaisir et de joie, il s'identifie avec lui et se sent relié à sa nature animale. Il grandira avec le sentiment d'être bien enraciné et avec un fort et profond sentiment de sécurité. Au contraire, un enfant n'ayant pas le support affectif de sa mère aura un corps raide. Le raidissement est une réaction naturelle aussi bien à une indifférence physique qu'à une froideur émotionnelle. La froideur maternelle mine le sens de sécurité d'un enfant, car elle rompt son lien avec la réalité première. La mère est notre terre personnelle, tout comme la terre est notre mère universelle. Toute insécurité perçue par un enfant dans sa relation avec sa mère se structurera dans son corps. Inconsciemment, il tendra son diaphragme, retiendra sa respiration et la peur lui fera remonter les épaules. Une fois que l'insécurité est structurée dans le corps d'un enfant, celui-ci est pris dans un cercle vicieux : il continuera longtemps de se sentir miné, même après être devenu adulte et indépendant.

Ce problème d'insécurité est insoluble pour quiconque n'a pas conscience de son manque d'enracinement. Une personne peut se sentir sûre d'elle parce qu'elle a de l'argent, une position sociale et une famille, mais un sentiment intérieur de sécurité lui fera défaut.

Les genoux bloqués en position debout sont le signe le plus évident du manque d'enracinement, car cette posture raidit les jambes et réduit leurs sensations ; elle empêche les genoux d'absorber les coups et de protéger le corps. Tout comme les pare-chocs d'une voiture, les genoux fléchissent lorsque le corps est sous tension, pour permettre à celle-ci de descendre dans les jambes et dans le sol (fig. 10 A et B). Comme le montre la figure 10 C, des genoux bloqués entraînent une forte pression sur le bas du dos. Peu de gens se rendent compte que les tensions psychologiques agissent sur le corps de la même manière que n'importe quelle force physique. En bloquant les genoux pour supporter ces tensions, nous rendons notre dos vulnérable.

La position debout avec les genoux légèrement fléchis vous semblera peut-être inconfortable si vous n'y êtes pas habitué. Si vos muscles se fatiguent, au lieu de bloquer vos

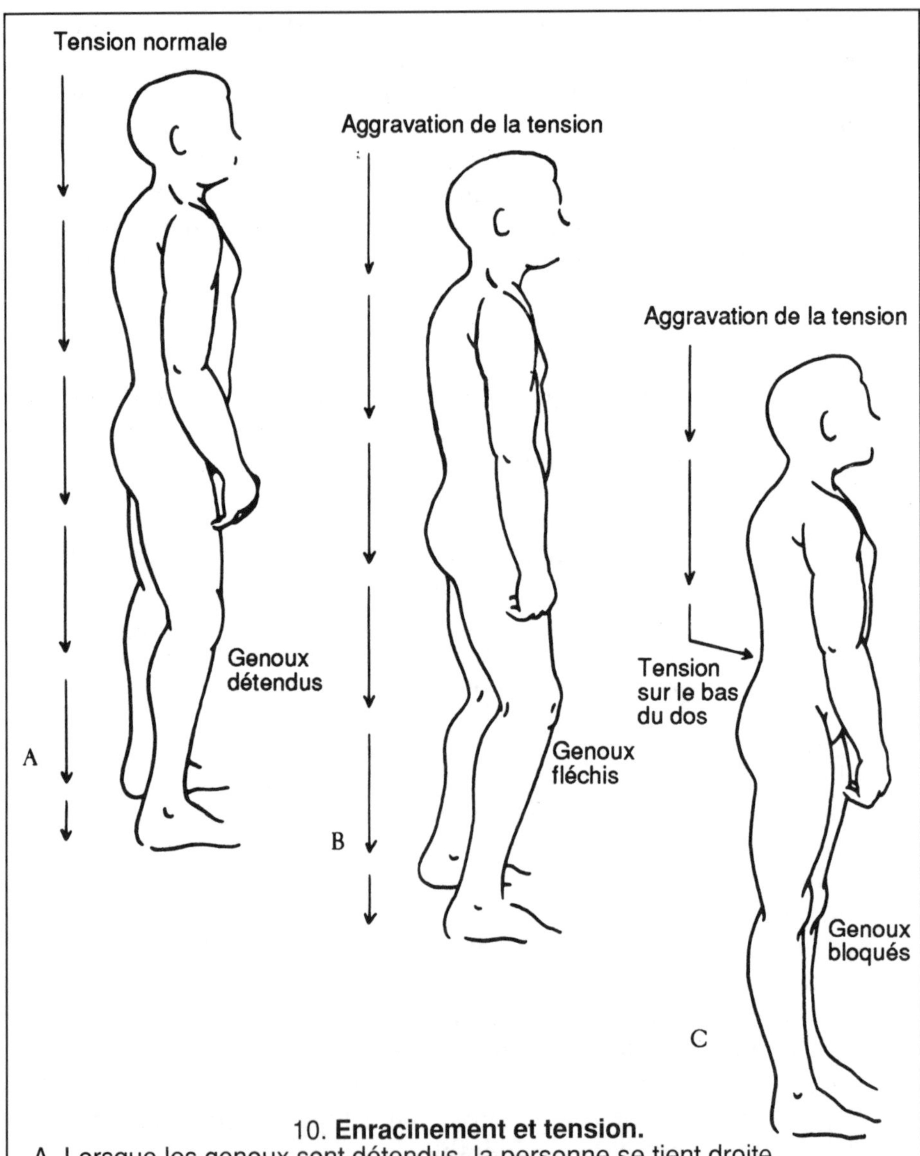

10. **Enracinement et tension.**
A. Lorsque les genoux sont détendus, la personne se tient droite.
B. Quand la tension s'accroît, en raison d'un fardeau physique ou émotionnel, les genoux ploient pour l'absorber.
C. Si les genoux sont bloqués et ne peuvent absorber la tension, celle-ci se porte sur le bas du dos et fait pencher le corps en avant.

genoux, asseyez-vous et reposez-vous. Bloquer les genoux peut effacer la douleur, mais la seule raison en est que les jambes perdent toute sensibilité en raison de leur rigidité. Les personnes qui ont appris à se tenir debout correctement ont une perception très différente de leur corps. « Quand vous débloquez mes genoux, vous débloquez mon énergie », m'a un jour écrit un lecteur. C'est pourquoi la bioénergie exige souvent du patient qu'il se tienne toujours les genoux légèrement fléchis quand il est debout.

Une jeune femme vint une fois me consulter, se plaignant d'insatisfaction parce qu'elle ne se réalisait pas. La priant de se lever, je remarquai que ses genoux étaient bloqués et que le poids de son corps était porté par ses talons. Il me suffit d'appuyer légèrement avec un doigt sur sa poitrine (ce qui la fit tomber en arrière) pour lui montrer combien sa position était déséquilibrée et peu stable. Lorsque nous fîmes de nouveau l'exercice, elle tomba une deuxième fois, bien qu'elle sût ce qui allait se passer. Elle saisit immédiatement la signification de cette attitude. « C'est ce que les garçons appellent “un comportement d'esquive”, remarqua-t-elle, cela signifie que je suis une faible femme. » Et elle ne pouvait réellement pas leur faire face. Je lui demandai alors de fléchir les genoux et de faire porter le poids de son corps vers l'avant jusqu'à ce qu'il fût en équilibre entre ses orteils et ses talons. Dans cette position, elle n'était plus faible.

De nombreuses personnes se tiennent debout dans cette position passive, ce qui rend impossible tout mouvement vers l'avant. Quand je le leur fais remarquer, les patients admettent généralement qu'ils ont une attitude passive dans la vie. Certains disent cependant qu'ils sont très agressifs dans leurs rapports avec les autres. Dans ce cas, la partie supérieure de leur corps tendrait à sembler prête à attaquer, tandis que la partie inférieure semblerait passive. Un tel clivage n'a rien d'inhabituel. Comme l'agressivité de la partie supérieure n'est pas naturelle, elle est souvent exagérée, ce qui prouve qu'il s'agit d'une attitude d'autodéfense. Ni l'attitude passive ni l'attitude pseudo-agressive ne permettent la fluidité du mouvement, bien qu'elles soient la condition préalable à tout sentiment d'enracinement. Le mouvement libre n'est possible que si les genoux sont légèrement fléchis et le poids du corps en avant, ce qui est une position naturellement agressive.

L'exercice suivant va vous permettre d'apprécier vous-même votre position.

Exercice n° 9 :

Prenez la position de base, les pieds parallèles, les genoux légèrement fléchis, le pelvis relâché et légèrement rétracté. Penchez maintenant la partie supérieure de votre corps vers l'avant, jusqu'à ce que vous sentiez le poids de votre corps porter sur les avant-pieds. Vous aurez peut-être l'impression que vous allez tomber face contre terre, mais si vous perdez l'équilibre, un pas en avant vous suffira pour le rétablir. Vous ne perdrez pas l'équilibre si votre tête est bien dans l'alignement.

Relevez la tête jusqu'à ce que vous regardiez droit devant vous. Pour équilibrer le poids du corps, imaginez que vous portez un panier sur la tête.

Puis, tenant votre tête droite, laissez votre poitrine se creuser et votre ventre se gonfler en une respiration profonde et pleine. Que ce soit le sol qui vous maintienne droit.

Il est possible que vous ne trouviez pas cette posture agréable au début. Les muscles tendus que vous avez étirés risquent même de vous faire mal. Mais dès qu'ils seront relâchés, la douleur finira par disparaître. Supportez-la. Il n'y a aucune raison d'avoir peur de la douleur due à l'extension, surtout si vous avez pour objectif de faire circuler librement la vie dans votre corps.

C'est cette position qui permet le mieux une mise en mouvement gracieuse. Des genoux débloqués se traduisent par une démarche souple qui, à son tour, vous aidera à vous sentir mieux enraciné.

Exercice n° 10 :

En marchant, avancez lentement et prenez soin de faire reposer le poids de votre corps sur chaque pied ; efforcez-vous de vraiment sentir votre pied toucher le sol à chaque pas. Relâchez vos épaules et prenez bien garde à ne pas retenir votre respiration ni à bloquer vos genoux.

Sentez-vous le centre de gravité de votre corps descendre ? Vous sentez-vous plus en contact avec le sol, plus détendu(e), plus sûr(e) de vous ? Cette façon de marcher va peut-être vous paraître étrange au début. Si c'est le cas, vous devez comprendre que cela provient des tensions de la vie moderne qui vous ont fait perdre votre grâce corporelle naturelle.

Au début, marchez lentement pour favoriser les sensations dans vos pieds et vos jambes. Une fois que vous sentirez bien le sol, vous pourrez varier votre rythme pour l'accorder à votre humeur.

Vous sentez-vous davantage relié à votre corps après cet exercice ? Passez-vous moins de temps perdu(e) dans vos pensées quand vous marchez ? Vous sentez-vous plus libre, plus souple ?

Prêter attention à sa démarche n'est que le premier pas dans le recouvrement de la grâce. Il faut également assouplir ses jambes et laisser plus de sensations se répandre en elles. Mes patients pratiquent régulièrement l'exercice suivant pendant les séances mais aussi à leur domicile. Appelé *exercice fondamental d'enracinement,* je l'ai d'abord décrit dans mon livre d'exercices bioénergétiques (1). Si je l'inclus dans ce livre-ci, c'est en raison de son importance.

Exercice n° 11 :

Les pieds parallèles écartés d'environ 45 cm, penchez-vous en avant et touchez le sol avec le bout des doigts, en pliant les genoux autant qu'il sera nécessaire. Faites porter le poids du corps sur les avant-pieds, pas sur les mains ni sur les talons. Tout en gardant les bouts des doigts sur le sol, redressez lentement les genoux, mais

1. Alexander et Leslie Lowen : *La Bio-énergie*.

sans les bloquer. Maintenez cette position pendant environ 25 respirations. Celles-ci doivent être aisées et profondes. Il est possible que vos jambes se mettent à vibrer ; c'est le signe que des ondes d'excitation commencent à s'y répandre.

Si vous ne sentez aucune vibration, c'est que vos jambes sont trop tendues. Dans ce cas, vous pouvez induire une certaine activité vibratoire en fléchissant puis en redressant les jambes plusieurs fois avec lenteur. Mais cet exercice ne doit pas être trop intensif : juste assez pour garder les genoux souples. Vous devez répéter l'exercice pendant au moins 25 respirations ou jusqu'à l'apparition de vibrations. Vous remarquerez également que votre respiration devient plus profonde et plus spontanée.

En reprenant la position debout, gardez les genoux légèrement fléchis, les pieds parallèles et le poids du corps en avant. Vos jambes vont peut-être continuer à vibrer, ce qui est un signe de vie. Avez-vous plus de sensations dans les jambes ? Sentez-vous vos pieds reposer sur le sol ? Vous sentez-vous plus détendu(e) ?

Si vos jambes ne vibrent pas dans cette position, vous pouvez accroître la durée de l'exercice jusqu'à 60 respirations et le pratiquer plusieurs fois par jour. (Une autre manière d'engendrer des vibrations dans les jambes est de se tenir debout sur une jambe dans la posture décrite ci-dessus tout en soulevant l'autre. Cette attitude accroît la charge dans la jambe qui vous supporte.) Cet exercice fondamental d'enracinement favorise un sentiment d'abandon ou de détente. Il y a longtemps, j'enseignais alors les principes de la bioénergie à un groupe de psychologues de l'Institut Esalen, j'en fis la démonstration à une jeune femme qui était danseuse et professeur de T'ai-chi chuan à la résidence de l'Institut. Quand ses jambes commencèrent à vibrer, elle fit la remarque suivante : « J'ai été *sur* mes jambes toute ma vie, mais c'est la première fois que j'étais *en* elles. » Cet exercice rendra son contrôle de soi aux patients qui le perdraient au cours de la thérapie. Un de mes patients, un comédien qui jouait dans des comédies musicales, le pratiquait dans les coulisses en attendant d'être auditionné. Pendant que les autres chanteurs vocalisaient et s'exerçaient à chanter, il prenait la posture d'enracinement et faisait vibrer ses jambes. Il raconte que la plupart de ses concurrents étaient si anxieux pendant l'audition qu'ils en perdaient la voix, alors que lui se sentait détendu et obtenait souvent le rôle. Quant à moi, je pratique cet exercice tous les matins depuis environ trente-cinq ans pour garder la souplesse de mes jambes. Cette pratique peut ne pas sembler importante à une personne jeune, mais elle est impérative si l'on veut garder un minimum de grâce malgré les années. L'âge affecte les jambes plus qu'aucune autre partie du corps. En fait, on peut dire qu'une personne a l'âge de ses jambes.

L'accroupissement est un autre exercice qui favorise le sentiment d'enracinement, car on est aussi proche que possible du sol sans toutefois être allongé dessus. Les enfants prennent facilement cette position, comme les peuplades primitives et les habitants des pays en voie de développement. Mais il est pratiquement impossible à la plupart des Occidentaux de prendre cette posture sans tomber en arrière. On peut garder la position pendant un petit moment en s'appuyant ou en se tenant à un support. L'incapacité à maintenir la position accroupie sans soutien est due à une tension excessive dans les cuisses, les fesses et le bas du dos. L'accroupissement est un exercice très recommandé pour les personnes qui ont ce genre de problèmes.

Exercice n° 12 :

Les pieds sont parallèles et écartés d'environ 20 cm. Essayez de vous accroupir et de maintenir cette position, en gardant les pieds et les jambes parallèles sans l'aide d'un support. Mais si un support s'avère nécessaire, utilisez un meuble lourd situé devant vous. La position correcte exige que les talons soient en contact avec le sol et que le poids du corps porte sur la pointe des pieds.

Si vous avez besoin d'un support, vous pouvez faire cet exercice en plaçant une serviette enroulée sous vos talons. Le rouleau devrait avoir juste l'épaisseur requise pour vous permettre de maintenir cette position. Celle-ci ne doit pas être confortable, afin de ne pas nuire à l'exercice, dont l'objectif est d'étirer les muscles contractés des jambes. Vous balancer sur vos pieds en faisant passer votre poids d'avant en arrière pourra vous aider à l'atteindre.

Si l'accroupissement devient douloureux, mettez-vous à genoux, étendez vos jambes vers l'arrière et asseyez-vous sur vos talons. Vous aurez peut-être mal dans cette position, si vos chevilles et vos pieds sont également raides. Dans ce cas, reprenez la position accroupie pour détendre vos chevilles. L'alternance de ces deux positions favorise le processus de détente.

Il est important de rappeler ici qu'un mouvement gracieux part des pieds et du sol. Après les exercices d'enracinement décrits précédemment, l'exercice suivant – qui reproduit un de nos actes quotidiens les plus courants : se lever d'une chaise – permet de mieux ressentir ce principe.

Exercice n° 13 :

Asseyez-vous sur une chaise au dossier droit, les deux pieds posés sur le sol. Mettez-vous debout en vous poussant vers le haut à partir du sol plutôt qu'en soulevant votre postérieur de la chaise. Pour y parvenir, vous devez transférer le poids du corps sur les avant-pieds. Puis, pressez le sol et relevez-vous. Ce faisant, vous avez établi un contact très intense avec le sol. Répétez maintenant cet exercice mais, cette fois-ci, en vous levant de la chaise comme vous le faites habituellement.

Sentez-vous la différence entre les deux façons de se lever ? Répétez cet exercice 2 ou 3 fois jusqu'à ce que la différence soit bien claire. En vous poussant pour vous mettre debout, vous utilisez complètement vos jambes. En vous soulevant, vous faites plutôt participer la partie supérieure du corps, ce qui requiert un plus grand effort.

Outre les muscles relâchés, il est essentiel que le corps soit bien aligné pour que l'excitation se répande pleinement et librement dans le corps. Un tel alignement commence par les pieds, voûte plantaire devant agir à la manière d'un ressort, pour absorber les chocs produits par la marche. Si une personne est bien enracinée, sa voûte plantaire va s'abaisser un peu à chaque pas, au moment où le poids du corps passe sur l'autre pied. Il est clair qu'une personne ne peut être enracinée si ses voûtes plantaires sont si cambrées que ses pieds ne peuvent être entièrement en contact avec le sol ou si elles ont perdu leur élasticité et sont affaissées. Des pieds plats ont pour conséquence un manque de souplesse dans la démarche. Des voûtes plantaires affaissées indiquent que les pieds ne sont pas assez chargés en énergie et qu'ils travaillent trop. Les obèses ont tendance à avoir les pieds plats, comme toute personne qui supporte un fardeau émotionnel ou physique trop lourd. Des voûtes plantaires trop hautes, d'un autre côté, se rencontrent chez les gens dont les jambes ressemblent à des pattes d'oiseaux. Elevées par des mères indisponibles ou désagréables, de telles personnes se sentent obligées de se tenir éloignées du sol.

La position même des pieds est importante pour un alignement correct. Il est rare, dans notre culture, de voir des gens avoir les pieds droits en station debout ou pendant la marche. La plupart marchent avec les pieds plus ou moins tournés vers l'extérieur. Cette position fait passer le poids du corps sur les talons et la tension sur les faces latérales des jambes. Comme me l'a écrit un collègue, cette posture accompagnée de pieds plats peut causer de sérieux dommages au corps : « Je reste obèse, et mes genoux et mes pieds me font souffrir à cause de mes longues années de tension et de manque d'alignement du corps [...]. Les cartilages de mes genoux sont usés jusqu'aux os sur les côtés et je ne peux rester très longtemps debout. J'ai demandé à l'orthopédiste comment cela a pu se produire, et il suppose qu'en raison de mes pieds plats dans ma petite enfance, quasiment toute la tension des genoux a porté sur leurs faces externes qui sont maintenant usées, et il n'y a plus aucun remède. Je reste ce que j'ai toujours été : maladroit sur mes jambes. » Il aurait été possible d'éviter à ce collègue ces graves problèmes s'il avait fait des exercices. Tout le monde devrait apprendre à se tenir les pieds parallèles et écartés d'environ

20 cm, les genoux légèrement fléchis et alignés sur le milieu de chaque pied. Quelqu'un qui souffre de pieds plats doit reporter le poids du corps sur le côté externe des pieds, tout en maintenant la position décrite ci-dessus. Si les jambes se mettent à trembler, c'est le signe que la tension se relâche.

Se tenir debout ou marcher les pieds en V peut être le résultat d'une tension chronique des muscles fessiers. Dans la plupart des cas, cette tension est le résultat d'une éducation prématurée à la propreté, ce qui produit à la fois un « derrière tassé » et une démarche en V. L'exercice suivant reproduit l'effet de cette tension sur le corps.

Exercice n° 14 :

Mettez-vous debout les pieds parallèles, écartés d'environ 20 cm. Maintenez vos genoux légèrement fléchis, le poids du corps portant sur l'avant. Placez une main sous l'anus. Rapprochez ensuite vos talons de façon à ce que vos pieds forment un V. Pouvez-vous sentir comme votre fessier est tendu et serré ?

Marchez à présent avec les pieds dans cette position et notez combien votre mouvement manque de grâce. Faites ensuite quelques pas les pieds parallèles. Sentez-vous une différence notable dans la qualité de vos mouvements ? Observez la façon dont marchent les autres. Voyez-vous la différence entre ceux dont les pieds sont parallèles et ceux dont les pieds sont tournés vers l'extérieur ?

L'exercice suivant est simplement destiné à relâcher la tension des pieds. Exécuté juste avant le coucher, cet exercice, en réduisant la charge de leur tête, a aidé des insomniaques chroniques à s'endormir.

Exercice n° 15 :

Mettez-vous debout avec un pied, ou les deux, sur une cheville de bois ou sur un manche à balai de 2,5 cm d'épaisseur. Comme dans les autres exercices, vous devez avoir les pieds nus pour aider la sensation à y naître. Poussez-les de façon à ce que la cheville de bois fasse pression alternativement sur les avant-pieds, la voûte plantaire et les talons. Si l'exercice vous fait mal, appuyez moins fort.

La sensation de vos pieds est-elle plus forte après cet exercice ? Etes-vous plus en contact avec le sol qu'auparavant ? Votre corps est-il plus relâché ?

Aussi valables que soient ces exercices pour nous aider à mieux sentir le sol sous nos pieds, nous devons avoir constamment conscience de notre corps si nous voulons changer, de façon significative, nos sensations et notre attitude. Il est donc important que nous fassions attention à nos jambes et à nos pieds lorsque nous marchons, lorsque nous nous tenons debout et lorsque nous sommes assis. Il est également important de voir comment nous posons nos fesses quand nous sommes assis. La plupart des gens s'affaissent sur leur chaise dans une position telle que le poids du corps est centré sur le sacrum et le coccyx au lieu de porter sur les tubérosités ischiatiques du fessier. Même si elle semble confortable, cette position dénote un certain repli sur soi, un peu comparable à celle d'un enfant blotti dans un coin pour être isolé et protégé du monde ; mais, en réalité, elle ne signifie pas sécurité, car la personne qui l'adopte n'est pas préparée à affronter les réalités de la vie d'adulte. L'enracinement en position assise implique qu'on sente le contact entre le fessier et la chaise. Le dos est automatiquement maintenu droit et la tête dirigée vers l'avant.

Le thérapeute est souvent assis en face de son patient pour discuter des problèmes et des sentiments ou sensations de ce dernier. J'ai constaté que ces discussions sont plus complètes et fructueuses quand mon patient et moi sommes assis dans la position d'enracinement précédemment décrite. Lorsque nous nous regardons droit dans les yeux, le contact est plus facile. Ce sentiment d'être vu et relié ajoute un élément spirituel à la thérapie. En réduisant l'anxiété et accroissant le sentiment de sécurité, il a des effets positifs à chaque fois que des gens sont assis et discutent. Mais il n'est d'aucune aide dans une situation de crise comme celle que j'ai vécue dans un petit hydravion pris dans un ouragan. Je réussis à éviter la panique qui avait gagné certains autres passagers en me concentrant sur la sensation de mes fesses bien posées sur le siège et en respirant aisément et profondément.

Etant donné que les douleurs du bas du dos sont si répandues, certaines personnes soutiennent que la position debout n'est pas la position naturelle de l'être humain. Or, si les troubles du bas du dos étaient effectivement dus à une erreur de la nature, tout le monde en souffrirait. L'étude de la posture de différentes personnes dans la perspective bioénergétique montre clairement que ce sont uniquement les personnes non enracinées qui connaissent des problèmes de dos. Celles qui sont enracinées et gracieuses sont maintenues droites par une force vitale qui part du sol, se répand dans les pieds, les jambes, les cuisses, le pelvis, le dos et le cou puis dans la tête. Le yoga reconnaît l'existence de cette force vitale, appelée « kundalini », qui remonte du sacrum à la tête le long de la colonne vertébrale lorsque le pratiquant du yoga médite dans la position du Lotus. Qu'on soit immobile ou en train de marcher, on sent que ce mouvement énergétique part du sol. Mais, quelle que soit la position, un tel flux d'énergie n'est possible que si l'on est enraciné. Chez certaines personnes, cette qualité est naturelle. Selon Lee Strasberg (2), la célèbre comédienne Eleonora Duse « avait une manière étrange de sourire, qui semblait provenir de ses pieds. On avait l'impression que son sourire traversait son corps entier pour atteindre son visage et sa bouche. ».

Dans l'observation de la position debout de l'être humain, il est utile de se référer une fois de plus à l'image de l'arbre. L'aptitude d'un arbre à se maintenir vertical dépend plus de la force de ses racines que de la rigidité de sa structure. En fait, l'arbre est d'autant plus facilement déraciné en cas de tempête que sa structure est rigide. Les racines sont importantes non seulement en tant que support, mais aussi en tant que système d'apport de nourriture permettant à l'arbre de croître. La sève qui transporte ces éléments nutritifs dans les

---

2. Lee Strasberg : *A Dream of Passion* (Little Brown ; Boston ; 1987).

feuilles est essentielle à la vie de l'arbre. Mais la sève doit aussi circuler vers le bas après s'être chargée de l'énergie du soleil. De façon analogue, l'énergie vitale chez l'être humain circule dans les deux sens.

L'organisme humain est très différent de celui de l'arbre, mais presque toutes les espèces de vie sont similaires dans la mesure où elles apparaissent là où la terre et le ciel se rejoignent. C'est là que l'énergie du soleil transforme la matière terrestre en protoplasme. Le ciel est la source d'énergie qui donne la vie aussi bien aux humains qu'aux arbres, mais nous dépendons aussi de la terre pour notre nourriture. Seuls les anges ne sont pas tributaires de la terre, car ils ne sont ni de nature animale ni de nature végétale. Malheureusement, les humains ne peuvent être à la fois anges et animaux. Si nous nous dissocions de notre nature animale (et de la partie inférieure de notre corps), nous ne sommes plus enraciné. Pour être enraciné, il faut avoir une vie sexuelle d'adulte. Et, comme nous l'avons montré chapitre VI, pour cela, les mouvements de notre pelvis doivent être libres.

Ces mouvements sont volontaires pendant la phase préorgastique et involontaires pendant l'orgasme. Les mouvements involontaires sont infiniment agréables, mais les mouvements volontaires peuvent être tout aussi agréables s'ils ne sont pas contraints ou forcés. Toute contrainte délibérée entraîne une certaine tension. Nos mouvements ne sont généralement gracieux que si nous permettons à l'onde d'excitation de se répandre vers le haut, sans entrave, à partir du sol. L'instrument en est un pelvis détendu. Si nous le poussons vers l'avant en marchant ou pendant l'acte sexuel, les muscles dont il est entouré se contractent, diminuant la sensation. Il vaut bien mieux laisser le pelvis aller d'arrière en avant par lui-même. Au chapitre VI, nous avons montré un exercice permettant d'évaluer la tension du pelvis. En y ajoutant maintenant le concept d'enracinement, nous pouvons entreprendre quelques exercices susceptibles de réellement aider au libre mouvement du pelvis.

Exercice n° 16 :

Debout, les pieds parallèles écartés d'environ 20 cm, fléchissez légèrement les genoux. Penchez-vous en avant et pressez les avant-pieds contre le sol. Sentez-vous comme vous êtes projeté en avant ? C'est notre façon de marcher, sauf que nous pressons alternativement chaque pied contre le sol.

A présent, fléchissez un peu plus les genoux et pressez à nouveau les avant-pieds contre le sol, mais sans soulever les talons. La force réactive est-elle remontée dans votre corps, redressant vos genoux ?

Répétez une troisième fois cet exercice, en maintenant les genoux fléchis et les talons sur le sol. Cette fois-ci, penchez-vous en avant et gardez votre pelvis libre. Avez-vous senti votre pelvis se mouvoir vers l'avant ?

J'ai constaté que la plupart des gens ont des difficultés à faire cet exercice car ils ne réussissent pas à presser le sol sans tendre les jambes. L'exercice n'est pas difficile à exécuter si on est enraciné. En voici un autre qui a le même objectif, à savoir sentir que le mouvement du pelvis s'effectue à partir du bas plutôt qu'à partir du haut. Cet exercice est également difficile mais, avec de la pratique, on réussira à libérer la partie inférieure du corps et l'exercice sera alors beaucoup plus qu'un simple mécanisme. Quand le pelvis bouge librement, on se sent léger, gracieux et bien.

Exercice n° 17 :

Mettez-vous debout les pieds parallèles et écartés d'environ 30 cm. Fléchissez légèrement les genoux et placez vos mains dessus. L'objectif est de faire bouger le pelvis de droite à gauche et inversement en utilisant seulement les pieds et les jambes. La partie supérieure du corps doit rester relâchée et inactive.

Pressez sur l'avant-pied droit contre le sol, redressez le genou droit et laissez votre pelvis aller vers la droite. Ce mouvement est exécuté grâce à une rotation des muscles de la jambe droite. Transférez ensuite le poids du corps sur le pied gauche, poussez-le contre le sol et redressez légèrement le genou gauche. Vous devriez sentir votre pelvis se déplacer vers la gauche. Faites passer ensuite le poids du corps sur la jambe droite et refaites l'exercice en essayant de mouvoir le pelvis vers la droite sans faire intervenir la partie supérieure du corps. Refaites l'exercice environ 5 fois, alternativement sur chaque jambe.

La plupart des gens réussissent à faire bouger leur pelvis en tournant la partie supérieure du corps, mais comme leur mouvement se fait en l'absence de contact avec le sol, il manque de grâce et n'apporte aucun plaisir. Un mouvement enraciné est stimulant, tandis qu'un mouvement forcé est mécanique.

Cet exercice est analogue au mouvement de base de la danse traditionnelle hawaïenne hula. Exécutée par les Hawaïens, la danse est gracieuse et facile, mais la plupart des Occidentaux sont extrêmement maladroits : leurs corps sont en effet trop rigides et ils ne sentent pas comment ils doivent se mouvoir pour faire partir le mouvement du sol. Les mouvements du pelvis qui ne sont pas enracinés peuvent sembler sexy et excitants, mais il s'agit d'une sexualité dissociée de la sensation. Lorsqu'ils sont enracinés, de tels mouvements recèlent une qualité spirituelle qui explique leur utilisation dans les rites des anciennes religions.

On peut se demander comment le principe de l'enracinement peut être appliqué aux relations sexuelles, lorsque deux personnes sont au lit allongées l'une sur l'autre. Si c'est l'homme qui est couché sur la femme, il peut s'enraciner en pressant ses pieds contre le bois du lit ou contre un mur. Avec les genoux fléchis, le pelvis bouge naturellement. S'il n'y a ni bois de lit ni mur, il peut enfoncer ses orteils dans le matelas pour faire partir des pieds le mouvement du pelvis. Si c'est la femme qui est couchée sur l'homme, elle peut s'enraciner en pressant ses pieds contre le matelas ou en enveloppant son partenaire de ses jambes afin que le corps de celui-ci lui serve de base d'enracinement. Ce principe, appliqué aux mouvements sexuels, peut énormément changer la qualité et l'intensité des sensations. L'excitation est accrue parce que toute la partie inférieure du corps est active dans l'acte sexuel, pas seulement l'appareil génital. Et comme le pelvis se meut plus librement, la sensation est plus forte dans la zone pelvienne. Une personne enracinée dans l'acte sexuel atteindra plus aisément la détente orgastique.

Du point de vue médical, l'enracinement a une valeur inestimable. Il a un effet bénéfique immédiat sur l'hypertension. Associés à une respiration plus profonde, les exercices d'enracinement abaissent de façon significative la pression systolique et réduisent même la pression diastolique. Ces diminutions ne seront bien sûr définitives que si la personne change notablement son rapport au sol, à son corps, à sa sexualité, à son entourage et à ses amis. La thérapie bioénergétique a pour objectif de rendre ce changement manifeste sur le plan physique. Lorsque la thérapie est réussie, les pieds du patient sont réellement devenus plus larges, ses jambes se sont assouplies, son pelvis s'est détendu, sa respiration s'est approfondie et ses épaules se sont abaissées. Une fois enracinée, la personne n'a plus à se soucier de se maintenir droite, elle se laisse soutenir par le sol. En se rapprochant du sol, elle remarquera également un abaissement de sa pression sanguine. Mais c'est seulement en s'attachant au corps et en vivant de manière à le respecter ainsi que ses besoins que ce genre de changements peut être apporté.

Malheureusement, notre culture voit de moins en moins le corps en tant que source de sensations et de spiritualité. Nos programmes de mise en forme ne sont pas censés accroître la sensibilité du corps, mais le faire fonctionner comme une machine. Ils produisent ainsi des gens incapables de faire autre chose que courir le marathon de la vie. Je suppose que si le but de notre vie est d'atteindre les plus hauts sommets, nos programmes modernes de mise en forme peuvent nous y aider. Mais s'il consiste à connaître la joie d'être pleinement vivant, l'enthousiasme de se sentir faire partie de l'univers en pulsation et la profonde satisfaction d'être une personne à la fois gracieuse et belle, nous devons avoir recours à autre chose.

Quand j'étais jeune, être « terre à terre » était considéré comme une vertu. Plus personne à présent n'emploie cette expression. La qualité d'avoir les pieds sur terre a-t-elle perdu toute signification ? Je le pense. La personne moderne se définit plutôt comme quelqu'un qui « vole vite et haut ». Il est difficile de ralentir quand le monde autour de nous fait la course. Il est difficile d'être enraciné au sein d'une culture non enracinée, qui dénie la réalité et propage l'illusion que le succès traduit une condition supérieure et que ceux qui réussissent ont une vie plus riche et plus accomplie. De la même façon, les réelles valeurs de la vie sont des valeurs « terre à terre » simples et naturelles : santé, grâce, sentiment d'être relié, plaisir et amour. Mais ces valeurs n'ont de signification que si nos pieds sont solidement ancrés dans le sol.

8

Les dynamiques structurelles du corps

Le corps humain est équilibré physiquement et énergétiquement. Il est aussi équilibré chimiquement par un mécanisme appelé *homéostasie,* qui maintient l'acidité du sang à un niveau constant. Energétiquement, le corps est équilibré par deux forces opposées, l'une agissant par le haut pour tirer l'organisme vers le haut et l'autre agissant par le bas pour le tirer vers le bas. Une fois de plus, nous devons nous référer à l'arbre. Ses branches croissent en direction du soleil, tandis que ses racines se répandent dans la terre. Dans la philosophie chinoise, ces deux forces appelées yin et yang représentent respectivement l'énergie du soleil et celle de la terre. Les racines d'une plante puisent l'énergie yin dans la terre et les feuilles absorbent l'énergie yang du soleil. Dans le Tao, le yin et le yang se côtoient en pleine harmonie. Mais la vie n'est pas statique : elle est en constante fluctuation en raison de l'interaction permanente de ces forces engagées dans deux mouvements opposés de traction, comme dans une lutte. L'harmonie est comme le point central d'un mouvement pendulaire atteint seulement au moment où le mouvement change de direction.

La vie s'est développée à la surface de la terre à l'endroit où l'énergie du soleil est en interaction avec l'énergie de la terre et s'unit à celle-ci. Des opposés s'unissant pour créer la vie, tel est le principe de la reproduction sexuelle. Pour les Chinois, ces opposés sont orientés sexuellement, le yin correspondant au féminin et le yang au masculin. Pour comprendre cette interaction entre des forces énergétiques en opposition, nous devons avoir recours au concept reichien de *surimposition,* dans lequel deux ondes énergétiques s'enroulent l'une autour de l'autre dans un acte créateur (1). Le diagramme de la figure 11 représente ce mouvement.

Au cours de l'évolution de la vie sur terre, le niveau de l'énergie de certains organismes s'est énormément élevé ; chez les animaux supérieurs, les deux pôles du corps se sont suffisamment chargés en énergie pour former deux centres. Le centre supérieur est devenu le cerveau ; le centre inférieur est devenu système sexuel et de reproduction. Le centre du milieu est devenu le cœur ; le sang qui en part est envoyé dans les deux extrémités du corps, les reliant ainsi énergétiquement au centre (fig. 12). Cette liaison est établie dans un arbre par la sève qui coule à la fois vers le haut et vers le bas. Comme nous l'avons vu au chapitre II, le mouvement du fluide est en rapport avec le flux d'énergie correspondant, dont il dépend, et qui se répand dans l'organisme sous la forme d'ondes d'excitation. Ces ondes d'excitation sont la force qui maintient le corps humain érigé. Elles sont en général plus fortes pendant les périodes diurnes, c'est-à-dire d'activité, que pendant les périodes nocturnes, c'est-à-dire de repos.

Une des règles fondamentales de la bioénergie est que la charge en énergie ne peut dépasser la décharge. Bien qu'il soit possible de manger plus que nécessaire à la production

1. Wilhelm Reich : *Surimposition cosmique* (Payot, Paris ; 1974).

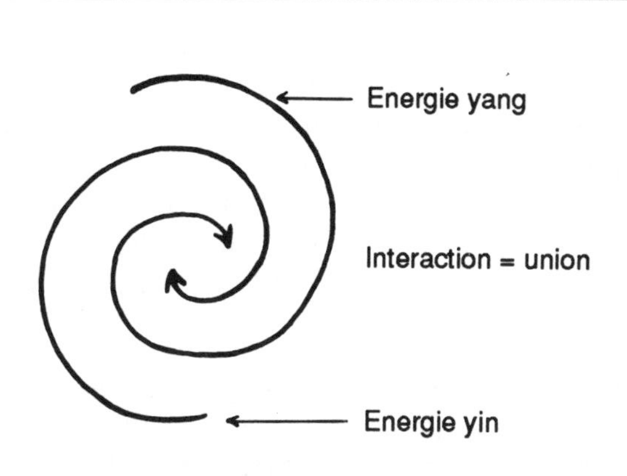

11. **Le concept de surimposition de Reich.**

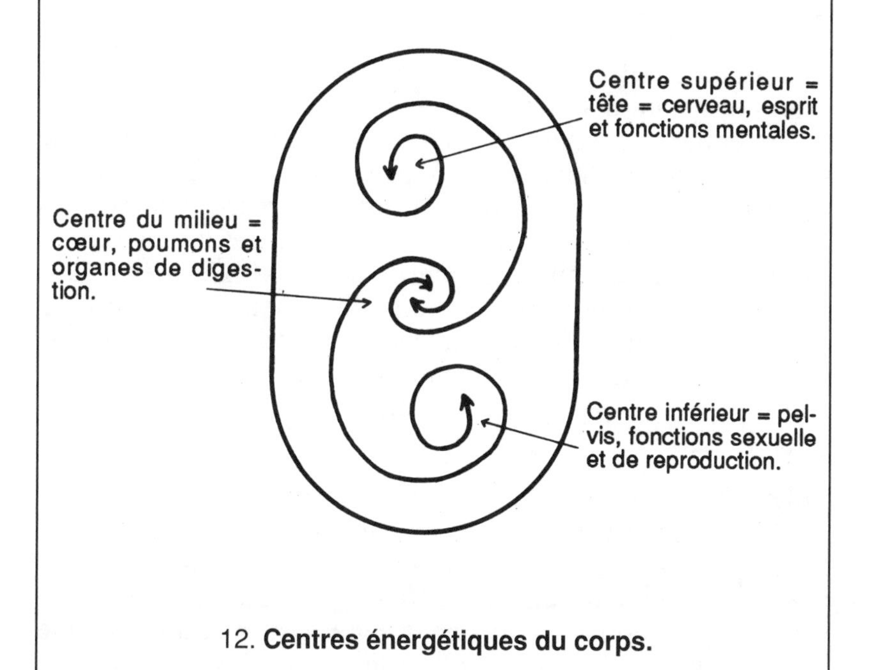

12. **Centres énergétiques du corps.**

d'énergie à un moment donné, l'excès de nourriture sera emmagasiné sous la forme de graisse, pouvant être convertie en énergie le moment venu. De façon analogue, une période très éprouvante – comme par exemple une famine – fera dépenser à une personne plus d'énergie qu'elle n'en consommera, mais ses réserves d'énergie seront tellement réduites que la mort pourra survenir. On peut altérer momentanément l'équilibre du corps – en retenant sa respiration, par exemple – mais il faut le rétablir si on veut continuer à vivre.

L'équilibre entre les forces opposées est inhérent au mouvement de pulsation qui est à la base de la vie. La pulsation, consistant en une expansion et une contraction, se manifeste dans la respiration, le péristaltisme, les battements du cœur et dans d'autres fonctions du corps. Elle constitue l'essence de tout organisme vivant, indépendamment de sa taille. Chez les humains, chaque cellule, chaque tissu et chaque organe est concerné par la pulsation, pas seulement l'organisme dans son ensemble.

Ce modèle s'applique tout aussi bien au comportement : l'alternance entre le mouvement consistant à se tendre et celui consistant à se rétracter est une forme de pulsation. Se tendre entraîne le contact avec le monde extérieur, tandis que se replier sur soi-même entraîne le contact avec le moi. Cette alternance est influencée par le rythme diurne. Nous sommes plus tournés vers l'extérieur durant la journée et plus repliés sur nous-même la nuit, pendant le sommeil. Ces deux états ont la même importance et tous deux sont nécessaires à une bonne santé. S'enfermer dans l'un ou dans l'autre est pathologique, car la vie dépend de la pulsation, de la capacité d'aller vers l'extérieur ou de se replier sur soi-même selon le cas.

La figure 13 A montre la pulsation fondamentale de l'expansion et de la contraction dans un organisme unicellulaire. Pour appliquer ce principe au corps humain, imaginez une personne se tenant debout les bras et les jambes écartés. La figure 13 B montre le corps dans cette position : il ressemble à une étoile à six pointes ; la tête, les mains, les jambes et les

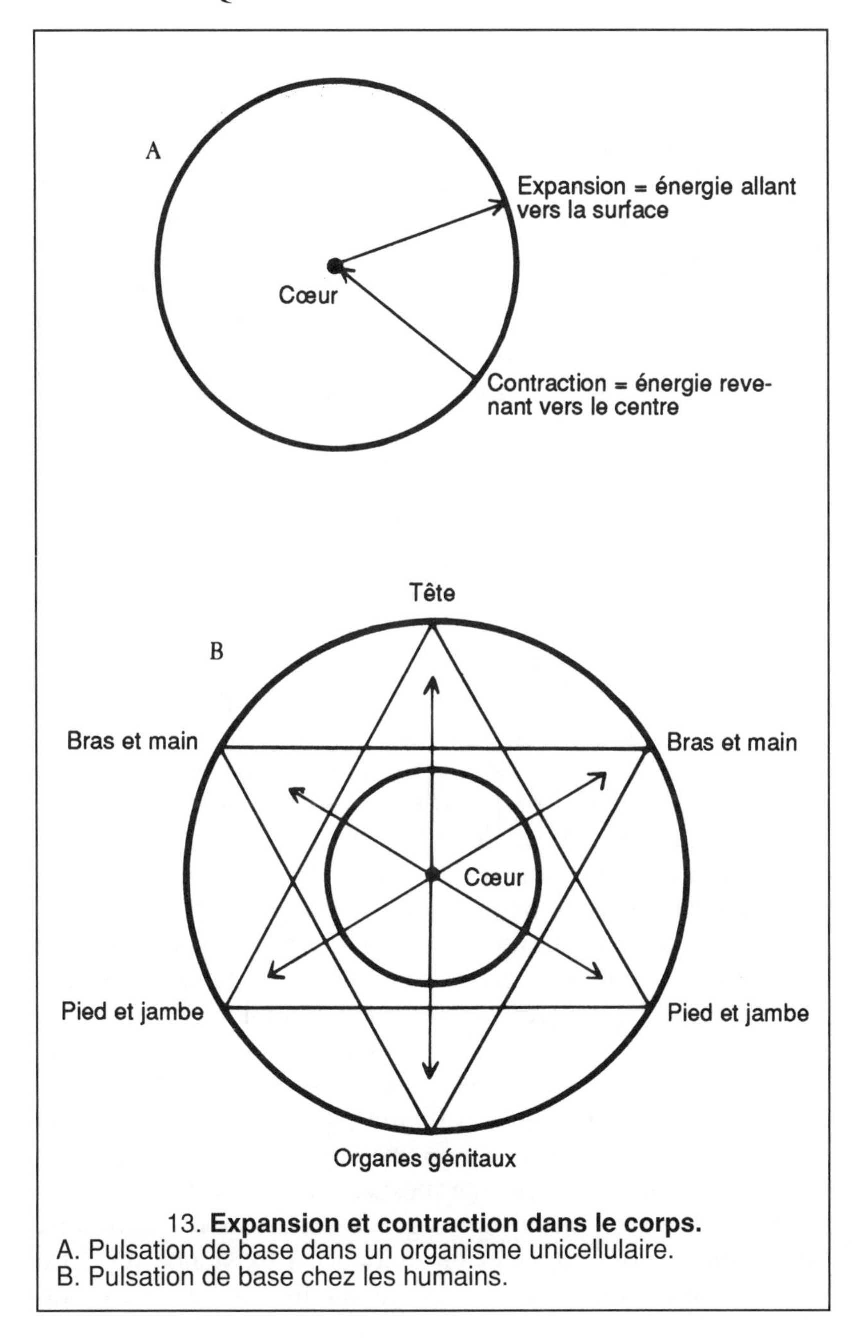

13. **Expansion et contraction dans le corps.**
A. Pulsation de base dans un organisme unicellulaire.
B. Pulsation de base chez les humains.

organes génitaux formant ces six pointes. Deux cercles concentriques peuvent être superposés sur la figure, l'un touchant toutes les pointes externes et l'autre toutes les pointes internes. Chacune des pointes externes représente nos principaux points de contact avec le monde. Le cercle extérieur peut être comparé à la surface du corps, tandis que le cercle intérieur pourrait représenter le cœur d'où proviennent les impulsions. Dans l'organisme humain, toute impulsion d'expansion apporte une charge égale à chacun de ces six points ; de même que toute contraction les prive d'une charge égale. Chez les personnes expansives tournées vers l'extérieur, ces points sont plus fortement chargés que chez les personnes dépressives ou repliées sur elles-mêmes.

Comme vous pouvez le voir sur la figure 14, il existe une relation directe entre la charge des yeux et celle des pieds, puisque ce sont des pôles opposés du corps. On peut mieux comprendre cette relation en terme de pulsation longitudinale du corps et de flux vertical d'excitation. La structure physique des organismes supérieurs est comparable à celle du ver : elle comporte un tube à l'intérieur d'un tube, et se compose de segments ou de métamères. Le tube interne constitue le système respiratoire et alimentaire. Un ver se meut quand des ondes d'excitation se répandent dans son corps, induisant l'expansion et la contraction en segments successifs. Le mouvement de la nourriture dans le corps du ver s'effectue selon le même schéma. Un principe analogue s'applique au corps humain, sauf que sa structure est plus complexe et différenciée. Au cours de l'évolution de l'Homme, différents segments ont fusionné pour former trois segments majeurs : la tête, le thorax et le pelvis, et deux segments mineurs : le cou et la taille. La fusion a permis à ces segments de développer les structures extrêmement spécialisées que l'on trouve dans une certaine mesure chez les vertébrés inférieurs et dans une mesure plus grande chez les mammifères. La colonne vertébrale met en évidence l'existence de cette structure segmentaire de base, mais même sur cette partie du

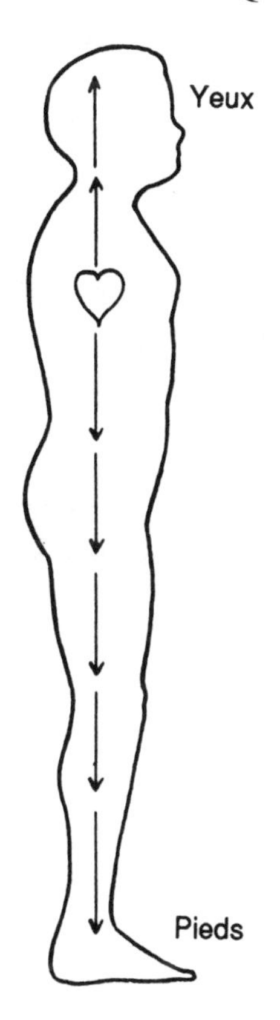

14. Le flux longitudinal d'excitation du corps.

corps, certains segments, notamment S 1/S 5, ont fusionné pour former le sacrum.

Les segments majeurs sont destinés à protéger les organes vulnérables qu'ils recèlent. Le cœur et les poumons – les deux organes les plus vitaux – sont situés dans le thorax, le segment central du corps, à l'intérieur de la cage formée par les côtes. La tête, bien sûr, ne comprend pas seulement le nez, la bouche et les yeux ; elle contient aussi le cerveau, qui régule tout le corps d'en deça les confins du crâne. A l'autre extrémité du corps se trouve le pelvis, une structure osseuse recelant les organes de reproduction et d'élimination. Le cou et la taille sont, dans une large mesure, des lieux de passage d'un segment à l'autre. Les nerfs et les vaisseaux sanguins les traversent, ainsi que les tubes digestif et alimentaire. La figure 15 montre ces différents segments du corps. Ces couloirs rendent possibles la flexion et la rotation. L'intensité des mouvements entre les segments dépend de la longueur des parties qui les relient.

Examinons quelques problèmes qui peuvent être provoqués par des distorsions dans cette structure dynamique.

Lorsqu'un segment est étiré, il éloigne l'un de l'autre les deux segments majeurs qu'il relie, ce qui indique un certain degré de séparation entre eux. Ainsi, un cou étiré place la tête bien dans le prolongement du corps. Une personne dotée d'un tel cou se considérera probablement comme étant supé-

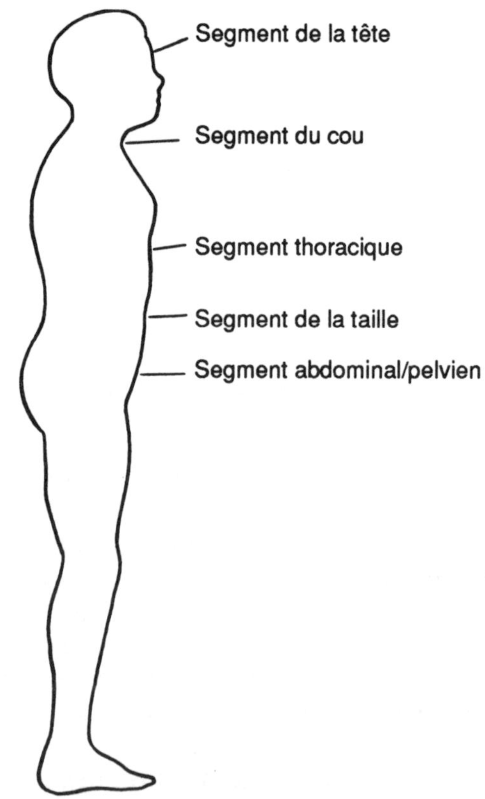

15. Les segments du corps.

rieure à sa nature animale. Une telle posture peut sembler raffinée, mais tout ce que la personne a réussi à faire en se tenant de la sorte est de développer ses sensations et sentiments de telle façon qu'ils correspondent aux standards culturels. Les personnes dont le cou est court et le corps plus lourd tendront à être plus proches de leur nature animale et à être identifiées avec la force animale du corps. Certes, les facteurs génétiques jouent un rôle important dans la structure du corps. Mais nous avons vu au chapitre I que l'environnement contribue aussi à modeler le corps. Les exigences et attitudes des parents, notamment, ont un fort impact sur le corps du jeune enfant.

Il y a quelques années, j'ai travaillé avec un jeune homme exceptionnellement grand et mince, qui avait un visage très sensible et de beaux cheveux bouclés. Je pouvais facilement me le représenter sous les traits d'un petit garçon aux cheveux blond doré. Sa mère l'avait élevé dans l'idée qu'il était supérieur aux autres garçons. Elle le considérait comme un cadeau de Dieu et le voyait doté de qualités divines. Ayant, par conséquent, été tenu à distance de la terre, il n'était pas enraciné. Ses jambes semblaient fortes, mais il y avait peu de sensations en elles. Se percevant comme un être différent et extraordinaire, il n'était pas réellement relié à la réalité. Bien qu'ayant des dons artistiques, il n'avait pas réussi à devenir célèbre. Il éprouvait également des difficultés avec les femmes, car il voyait en chacune d'elles sa mère toute-puissante.

Le problème était de découvrir ce qui avait provoqué une telle élongation de son corps, du fait notamment que son père avait une taille normale. Je pense pouvoir l'expliquer en terme de pulsation longitudinale du corps. Dans le corps long et fin, l'onde d'excitation est étirée vers le haut, ce qui réduit son intensité. Ce mouvement vers le haut peut avoir plusieurs significations : une recherche d'affection et de soutien, comme un enfant qui tend ses bras pour être porté ; un refus de la nature animale fondamentale ; et un désir d'être supérieur aux autres. Des exercices d'enracinement inversèrent cette direction, car ils amenèrent plus d'énergie aux pieds et jambes de ce jeune homme et l'aidèrent de ce fait à surmonter sa tendance à se sentir « spécial ». Ils ne lui firent pas perdre sa haute taille, mais l'aidèrent à se sentir plus solide et sûr de soi. En apprenant à respirer plus profondément, il accrut aussi son énergie et renforça la pulsation énergétique d'un bout à l'autre de son corps, ce qui l'aida à se sentir plus fort et plus complet.

Si un corps long et fin est le signe d'un affaiblissement de la pulsation énergétique, un corps petit et gros est le signe d'un renforcement de cette pulsation, puisque la compression d'une onde accroît sa force. Les personnes ainsi constituées ont une force physique considérable. Enclins à aller de l'avant, de tels hommes ressemblent souvent à des taureaux et agissent comme eux. Nikita Khrouchtchev avait, en plus de sa personnalité agressive, ce genre de constitution. Une telle carrure peut cependant également être associée à une attitude de résistance passive, comme chez Arnold, un homme qui approchait la cinquantaine et qui vint me consulter pour cause d'anxiété.

Bien que n'ayant jamais pratiqué de sports intensifs, Arnold ressemblait à un haltérophile aux muscles très développés et rebondis. Nos entretiens me permirent d'établir que son problème d'anxiété avait pour origine sa relation avec sa mère. Arnold était un enfant unique et sa mère était une femme agressive qui ne s'intéressait pratiquement qu'à son fils. Il n'est donc pas surprenant qu'il l'ait ressentie comme envahissante, possessive et autoritaire. Lorsqu'il était enfant, son souhait le plus fort était de s'éloigner d'elle. Malheureusement, son père n'était d'aucun secours dans sa lutte pour sa liberté. Arnold était encore en train de lutter pour échapper aux griffes de sa mère lorsqu'il vint me consulter. Il ne réussit à se libérer de son emprise sur le plan émotionnel que lorsqu'elle mourut, alors qu'il avait environ cinquante ans. A ce moment-là, se mariant pour la première fois, il se sentit aussi prisonnier de sa femme qu'il l'avait été de sa mère.

La description que me fit Arnold de sa mère était telle que j'en arrivai à la voir comme un tank et lui comme une boîte à pilules. Dans la lutte entre un tank et une boîte à pilules, il n'y a pas de vainqueur. Comme la boîte à pilules ne peut être écrasée, elle peut effectivement résister au tank, mais ne peut le détruire. Elle ne peut pas non plus s'enfuir. De façon analogue, Arnold ne pouvait échapper à sa mère, bien qu'il eût la possibilité de lui résister – et c'est ce qu'il faisait. La solution thérapeutique consistait à transformer la boîte à pilules en machine combative en mobilisant sa colère contenue. Mais il fallait procéder lentement. Arnold était terrifié par sa colère, car elle avait un côté meurtrier. Son anxiété provenait du conflit entre d'une part son désir, et d'autre part sa peur d'agir sur ce sentiment. Il avait le sentiment qu'en laissant exploser sa colère, il se détruirait lui-même et détruirait d'autres personnes. La force qu'il avait à contenir était violente ; il devrait avoir recours à une défense aussi intense pour se protéger. Lorsque Arnold comprit sa dynamique structurelle et son problème, il lui fut possible de relâcher sans danger sa colère intérieure en frappant le lit régulièrement et sous contrôle. En le maintenant enraciné, je l'empêchais de perdre tout contrôle et de blesser quelqu'un. Lentement, son corps se détendit et, chose étonnante, il grandit.

En décrivant de cette manière Arnold et sa mère, je présente un aspect essentiel de leurs personnalités qui se reflétait dans la dynamique structurelle de leurs corps. La corrélation entre le corps et la personnalité est absolue en raison de leur identité fonctionnelle. Le corps n'est pas un simple véhicule de l'esprit dans lequel ce dernier serait une force distincte agissant sur le premier. L'esprit est au contraire inhérent au tissu vivant. Dans la mort, l'esprit s'éteint et le corps devient pure matière. L'esprit est comme une flamme qui transforme la matière en énergie. Le feu lui-même n'est pas substance ou énergie, mais processus de transformation. Quand ce processus s'arrête, la flamme disparaît et il ne reste que des cendres mortes.

Les dynamiques structurelles nous permettent de comprendre le phénomène du clivage, une perturbation majeure du corps qui peut être accompagnée d'une perturbation tout aussi grave de la personnalité. L'idée de personnalité divisée n'est pas neuve. Certaines personnes ont même été décrites comme ayant des personnalités multiples. Selon la thèse précédente, les clivages du corps sont indubitablement aussi forts que les clivages de la personnalité. Ainsi que nous l'avons vu, de tels clivages sont rendus possibles par la division du corps humain en trois segments majeurs : la tête, le thorax et le pelvis. Chez de nombreuses personnes, la tête n'est pas reliée au cœur et le cœur n'est pas relié aux organes génitaux. Pour elles, la tension des muscles du cou et de la taille limite le flux d'excitation circulant entre les segments majeurs. Il est évident qu'à un niveau plus profond ces derniers continuent à être reliés entre eux. Les nerfs du cerveau, qui régulent et coordonnent les fonctions vitales de tous les segments, passent librement d'un segment à un autre. Il en va de même pour les vaisseaux sanguins, qui transportent l'oxygène et les nutriments dans chaque cellule du corps et y recueillent les déchets pour les en débarrasser. A cette intégrité de l'organisme correspond une intégrité équivalente au niveau de l'inconscient. A la périphérie cependant – siège de la conscience – l'intégrité est brisée par l'interruption de l'onde d'excitation, qui parcourt toute sa surface. En cas d'interruption et selon sa gravité, la rupture peut aboutir à trois schémas de comportement, chacun étant associé à un des segments majeurs. Le cas décrit ci-dessous illustre cette situation :

Il y a quelques années, je reçus un homme approchant la cinquantaine que j'appellerai Roger. Il se plaignait de se sentir déprimé en raison de la perte de contrôle de sa vie. Il se rendait compte qu'il buvait trop, mangeait mal et négligeait son corps. Il était aussi sur le point de perdre sa femme. Il attribuait certains de ses problèmes à ses fréquents voyages d'affaires. Il lui arrivait assez souvent d'aller dans un bar ou une discothèque, de rencontrer une femme et de finir la nuit avec elle. Roger n'avait aucune difficulté à séduire les femmes car il était bel homme, avait du charme et une bonne situation. Mais sa vie conjugale se détériorait et il soupçonnait sa femme d'être constamment en train de le surveiller, surtout depuis qu'ils n'avaient plus de relations sexuelles. Roger déclarait que sa femme était belle, mais qu'elle ne l'attirait plus. Il répugnait à divorcer, car ils avaient trois enfants auxquels il était attaché.

Je vis que Roger avait un esprit très vif et logique ce qui, sans aucun doute, contribuait à son succès. Mais il s'exprimait avec une certaine indifférence et ses yeux étaient généralement froids et sombres. Il semblait bien se maîtriser, mais sa maîtrise apparente était démentie par son comportement. Je compris qu'il pouvait se contrôler aussi longtemps que sa tête seule avait à déterminer ses actes. Durant les premiers mois de la thérapie, Roger manifesta très peu d'émotion en parlant de sa vie passée ou présente. Il y avait cependant en lui quelque chose de séduisant. Parfois, il me regardait et souriait. A ce moment-là, une magnifique lumière illuminait ses yeux et il ressemblait pendant un instant à un enfant innocent aux yeux brillants. Quand cette lumière s'éteignait, ses yeux s'assombrissaient de nouveau. Ils s'illuminaient de temps en temps quand il parlait de ses sentiments pour sa mère et pour d'autres femmes, et une étrange excitation semblait alors s'emparer de lui. Il reconnaissait que les femmes le fascinaient et admit avoir eu plusieurs aventures depuis son mariage.

Pour aider Roger, je devais comprendre qui il était, mais cela n'était pas facile. Pendant la journée, c'était un ingénieur froid et logique et un homme d'affaires prospère. La nuit, c'était un satyre. A de très rares moments, il devenait un enfant innocent aux yeux brillants. Ce côté de sa personnalité expliquait sa créativité dans son travail et le charme qu'il exerçait sur les femmes. Après avoir compris ce triple clivage de sa personnalité, je réussis à le situer dans son corps, qui était également divisé en trois parties : la tête, le thorax et le pelvis. De sévères tensions dans le cou et surtout à la base du cerveau séparaient effectivement sa tête du reste de son corps. Des tensions similaires à la taille et autour du pelvis isolaient les organes génitaux du cœur et de la tête.

Le côté froid et professionnel de Roger était d'ordre cérébral et, lorsqu'il se manifestait, ses yeux perdaient toute expression. Le côté sauvagement passionné de Roger était lié à ses organes génitaux et, sous son emprise, il brûlait d'un feu impie. On n'attend pas de quelqu'un qu'il soit froid et logique dans le feu de la passion sexuelle, mais une personne normale ne perd pas, comme Roger, la raison pour autant. Comme je l'ai souligné au chapitre VI, la perte du sens de l'ego et l'abandon du moi ne se produisent dans le cas idéal que lors du paroxysme orgastique. Dans de tels moments, l'abandon du moi sert à l'accomplissement de soi. A l'opposé, l'abandon du moi au sexe en l'absence d'amour est autodestructrice. Je pensais que Roger était capable d'aimer, et cette conviction nous permit de travailler ensemble à la résolution de son problème. Mais, au début, il était incapable d'établir un rapport entre sa pensée ou son désir sexuel et l'amour. En raison de ce clivage de sa personnalité, il ne pouvait unifier ces différentes fonctions.

Comme je l'ai souligné dans le chapitre I, le vécu d'une personne structure son corps qui, à son tour, façonne sa personnalité. C'est de cette manière que la vie passée se poursuit dans le présent. Pour pouvoir se libérer des inhibitions de son passé, la personne doit prendre conscience du vécu qui les a entraînées au départ. C'est la tâche de l'analyse de fournir une charpente qui permet la restructuration. Cette dernière exige un travail direct sur le corps afin de réduire les tensions musculaires. L'analyse et la restructuration doivent aller de pair. Je commence en général par l'histoire du patient, toujours incomplète au début. Au cours de la thérapie, au fur et à mesure que la mémoire réprimée redevient consciente, émerge une image plus claire.

Roger était un enfant unique. Il décrivait sa mère comme une femme attrayante, prisonnière de son apparence extérieure et de sa position sociale. Elle aimait s'amuser et aller à des réceptions. Son père était un homme d'affaires qui travaillait beaucoup et rentrait tard après son travail. Ses parents se querellaient rarement, mais Roger avait le sentiment que leur union n'était pas heureuse. Il se sentait proche de sa mère tout en sachant que son intérêt pour lui était inégal. En l'absence de son mari, la mère se tournait vers son fils pour avoir de la compagnie, se plaignant parfois de l'insensibilité du premier à l'égard de ses besoins et désirs. Néanmoins, lorsqu'une activité sociale était prévue sur son calendrier, elle ignorait Roger. Ce dernier se souvenait de quelques moments agréables où son père avait joué au ballon avec lui ou l'avait emmené à la pêche. Bien que Roger eût rarement été battu ou puni par son père, il se rendait compte que ce dernier était un homme irritable et coléreux. Il prit conscience au cours de la thérapie qu'il avait eu peur de lui lorsqu'il était enfant.

Jusque-là, peu d'éléments de son histoire expliquaient les sérieuses perturbations dans sa personnalité. Mais la relation réelle entre Roger et sa mère n'était qu'un signe. Une femme qui ne s'accomplit pas dans son mariage a tendance à se tourner vers son fils pour obtenir l'affection et le contact qu'elle ne reçoit pas de son mari. A maints égards, Roger avait été le confident de sa mère. Mais, à chaque fois qu'elle avait l'occasion de sortir ou de rencontrer d'autres hommes, elle se détournait de lui. La même trahison se produisait chaque soir, lorsqu'elle fermait la porte de la chambre à coucher qu'elle partageait avec son mari. Lorsque je le fis remarquer à Roger, il comprit qu'il s'était senti trompé. Je me sentis obligé d'explorer plus à fond cette partie de l'histoire de Roger, car il était clair que Roger traitait les femmes de la façon dont sa mère l'avait traité. Il pouvait être charmant et intime superficiellement, mais ne pouvait se donner complètement à aucune femme. Il adoptait une attitude séductrice, agissant comme sa mère autrefois avec lui. A la base de ce comportement se trouvait une immense colère, qui était un transfert de la rage qu'il éprouvait à l'égard de sa mère. Receler une telle rage forçait Roger à séparer ses sentiments de ses sensations sexuelles, clivage qui se reflétait dans l'absence de lien entre son thorax et son pelvis.

Malheureusement, Roger avait aussi dû supprimer ses sentiments d'amour pour son père. Son enfance l'avait fait prisonnier du triangle œdipien. Favorisé par sa mère, il était devenu l'objet vulnérable de la jalousie et de l'hostilité de son père, qui était le mâle plus fort et plus puissant. Roger établit durant cette séance qu'il n'était pas conscient d'avoir eu peur de son père lorsqu'il était enfant. Mais il comprit finalement qu'il avait réprimé sa peur, tout comme il avait réprimé sa colère contre sa mère, colère qui était due à son attitude séductrice. Cette peur émergea plus tard, quand le refoulement disparut. Il comprit que c'était pour surpasser son père qu'il avait mieux réussi que lui sur le plan professionnel. Mais il ne parvenait au succès qu'en contrôlant de très près son besoin d'amour et de compréhension. Sous cette forme, le succès était un accomplissement vide de sens qui laissait sa vie vide de sentiments et sensations. Il avait tendance à boire et à recourir à l'acte sexuel pour rompre le contrôle exercé par sa tête. Des sentiments et sensations pouvaient alors se répandre dans son corps.

Prisonnier du fort conflit œdipien de l'enfance, Roger s'était divisé. Mais un fond d'intégrité restait, qui l'amena à entreprendre la thérapie dans une quête de son moi réel. Ce moi apparaissait de temps en temps dans les yeux brillants et innocents de l'enfant qui sommeillait en lui. En voyant ce regard, je compris que Roger avait été l'objet de l'amour de ses parents dans son enfance. Entraîné dans les passions adultes du conflit œdipien, il avait abandonné cet enfant, l'enfermant au plus profond de son cœur. Roger était désireux d'ouvrir son cœur, mais il n'y parvenait pas, sauf dans les rares moments où il avait l'espoir que quelqu'un comprenne sa confusion et sa peur. C'est cette peur de se laisser aller à ses sentiments – la peur, la colère, la tristesse et l'amour – qui apparaissait dans le clivage de son intégrité corporelle.

La thérapie d'une personnalité divisée comme celle de Roger n'est pas chose aisée. Bien qu'essentielle, l'analyse du comportement n'est pas une force d'intégration efficace, puisqu'elle affecte en tout premier lieu l'esprit. Roger reconnaissait l'exactitude de mes interprétations, mais cela n'avait cependant que peu de répercussions sur ses sentiments ou son comportement. Les émotions faisant participer le corps entier, elles ont la potentialité d'intégrer la personnalité. Mais comment mobiliser une émotion qui soit suffisamment intense pour obtenir cet effet ? Et quelle peut en être la nature ? Seules deux émotions ont ce pouvoir : la colère et l'amour. Le thérapeute est la seule personne susceptible d'éveiller ces sentiments avec la force nécessaire à l'intégration de la personnalité. Je devins le père dont il désirait l'amour et également le père dont il avait peur et à l'égard duquel il éprouvait une colère dont l'intensité était proportionnelle à sa peur.

La projection sur le thérapeute des sentiments réprimés pendant l'enfance est connue sous le terme de *transfert*. Tous les psychanalystes travaillent sur cet aspect du problème, mais essentiellement au niveau de l'intellect. Cela ne suffit généralement pas pour transformer la structure psychologique et physique du patient. Le transfert doit être vécu dans la réalité. Ce ne fut pas tâche facile avec Roger, car ses sentiments à mon égard étaient ambivalents. Il avait d'une part besoin de l'amour et du soutien d'un père, et de l'autre il se sentait supérieur à lui. Il reconnaissait mon autorité en tant que thérapeute et coopérait dans le travail sur la respiration, l'enracinement et l'expression de certains sentiments. Mais il restait sous le contrôle de son ego et ne pouvait en conséquence pas s'abandonner complètement à moi, à la thérapie, ni à son moi et à sa passion.

Roger avait aussi peur de moi, mais pas physiquement, puisqu'il était plus jeune et plus fort que moi. Mais il sentait – et était persuadé dans une certaine mesure – que, comme son père, j'exerçais un certain pouvoir sur lui, pouvoir dû au fait qu'il avait besoin de mon aide. Son besoin d'aide en faisait une personne soumise ce qui, étant donné la situation œdipienne de son enfance, réveillait sa peur inconsciente de castration. Se mettre en colère contre moi accroissait par ailleurs le risque de me voir le rejeter et arrêter la thérapie. Il désirait également mon amour, comme il désirait l'amour de son père : il essaya donc de m'impressionner en faisant les exercices bioénergétiques. Mais l'efficacité de ce travail sur son corps était diminuée par ses sentiments ambivalents. Ces exercices apportaient une amélioration ; il ne pouvait néanmoins pas se laisser aller complètement, car il éprouvait le besoin de m'impressionner. C'était une situation impossible et, après plusieurs années d'efforts, il semblait que la thérapie ne pouvait aboutir qu'à un échec.

C'était cependant précisément à ce moment-là que la thérapie avait une réelle chance de réussir. Si on accepte l'échec, on n'a rien à perdre. On est donc en mesure d'être honnête avec soi-même. A ce moment-là, Roger était capable d'exprimer totalement sa colère à mon égard et à l'égard de son père. Pour ce faire, il frappa le lit de ses poings en disant à quel point il ressentait mon attitude comme supérieure. Il transféra rapidement sa rage sur son père, puisque ce dernier avait fait défaut en tant qu'homme pour le soutenir lorsqu'il s'était retrouvé directement et ouvertement aux prises avec des conflits relationnels avec sa femme. Il criait : « Tu n'es pas un homme ! » et exprimait par là que son père manquait d'intégrité à ses yeux. Il était également furieux contre sa mère à cause de sa trahison en amour et de son manque d'intégrité. Sa colère disparut, et il acquit pendant cette période un sentiment d'intégrité qui permit à son amour de jaillir.

La thérapie de Roger s'étendit sur de longues années, mais il ne s'en plaignait pas, car il sentait qu'il était sur la bonne voie. Il pouvait percevoir la transformation progressive dans son corps au fur et à mesure que ses sentiments le lui révélaient. Ces changements se reflétaient dans son comportement et ses relations. Il fut capable de ressentir un profond amour pour sa femme et la renaissance de leurs relations intimes leur permit de s'accomplir dans le plaisir. De plus, son comportement sur le plan sexuel changea radicalement. Pendant un moment, alors qu'il allait de mieux en mieux, il n'éprouva plus aucun désir sexuel. Il en fut bouleversé jusqu'à ce que je lui fasse remarquer qu'il avait simplement jeté aux orties son impulsion irrésistible. Les relations sexuelles seraient désormais plus une expression d'amour, ce qui ne peut être ni programmé ni planifié.

Un exemple classique de femme ayant souffert d'un moi divisé est Marilyn Monroe. Elle ne fut jamais une de mes patientes et je ne la connais que par ses films et ses photos, mais son corps présente une perturbation analogue à celle de Roger, à savoir l'absence d'un fort courant unificateur reliant la tête à la poitrine et la poitrine au pelvis. Chez Marilyn Monroe, chacun de ces segments semblait se mouvoir indépendamment, comme dans le cas d'une poupée avec une tête et des hanches articulées. Cette absence de rapport entre les segments de son corps se manifestait dans sa personnalité et dans son comportement en public. Marilyn Monroe était une actrice extrêmement capable, une enfant et un symbole sexuel, chaque situation mettant en œuvre un aspect de sa personnalité. En tant qu'actrice, elle contrôlait son comportement grâce à un esprit intelligent et capable. Dans ses relations avec les hommes, elle était comme un enfant recherchant l'approbation et l'affection. Pour le public, c'était une femme libre et extrêmement sensuelle, vivant pleinement sa sexualité. La réalité démentissait cette image. Marilyn Monroe n'était pas une personne intégrée possédant un sens du moi solide et assuré. Elle avait été traumatisée dans son enfance par le manque d'amour et l'abus sexuel.

Nous l'avons vu au chapitre VI, rien ne détruit plus l'intégrité de la personnalité d'un enfant que l'abus sexuel, qui peut aller de la sodomie et de l'inceste jusqu'à la séduction émotionnelle entre un parent et l'enfant. L'environnement négatif de Marilyn Monroe entraîna une forte contraction énergétique dans son corps – semblable à l'effet de resserrement que produit le froid sur une plante – et, de ce fait, un clivage de sa personnalité. Je reviendrai sur ce thème dans un chapitre ultérieur.

En raison du conflit entre l'esprit rationnel et le corps animal, entre la pulsion de dominer et le besoin d'appartenir à quelqu'un, la personnalité risque le clivage. Ce conflit est inhérent à la nature humaine. Tout en rendant l'être humain vulnérable à la maladie, il est à l'origine de sa créativité et le fondement de sa spiritualité consciente. L'issue est fonction de la gravité du conflit et de l'ampleur du clivage ; elle dépend en outre de l'aptitude de la société à contrôler son propre clivage entre culture et nature. Transposé dans le cercle de famille, ce clivage donne lieu à une sorte de guerre entre mari et femme et entre parents et enfants. Dans cette situation, l'enfant est souvent clivé.

Nous l'avons vu brièvement au chapitre V, si le conflit n'est pas trop grave et si les forces qui s'opposent ne sont pas trop puissantes, l'enfant peut maintenir un minimum d'intégrité en se rigidifiant physiquement. Habituellement, la rigidité affecte le cou et la taille. Dans la plupart des cas cependant, la rigidité n'est pas grave au point de devenir un problème médical, bien qu'elle puisse entraîner des troubles nécessitant parfois l'intervention médicale. La perte de flexibilité du cou peut provoquer de l'arthrite dans les vertèbres, qui engendre à son tour une rotation douloureuse de la tête. La même tension dans la région de la taille affectera les vertèbres lombaires, entraînant souvent des douleurs lombo-sacrées, des sciatiques et des hernies discales. Il est important de comprendre que cette rigidité est défensive. La personne exprime avec son corps : « Non, vous n'arriverez pas à me briser ou à me diviser. » Malheureusement, la rigidité se développe seulement après que l'enfant soit déjà plus ou moins brisé ou clivé. La rigidité agit comme une défense, empêchant toute petite rupture de devenir un clivage total.

Cependant, l'intégrité induite par cette rigidité est fondée sur l'immobilité plutôt que sur la fluidité, sur la volonté plutôt que sur le sentiment ou la sensation. La rigidité est en effet une déclaration plutôt négative qu'affirmative qui traduit la position suivante : « Je ne me soumettrai pas, je ne m'assouplirai pas, et je ne m'abandonnerai pas. » Dirigée à l'origine directement contre les exigences et les menaces sociales et parentales, elle se manifeste comme une résistance à la vie une fois qu'elle est structurée dans le corps. En diminuant le flux d'excitation dans le corps, elle interfère avec la pulsation et limite la respiration, ce qui abaisse le niveau d'énergie. Mais comme elle a une fonction de survie, elle est souvent considérée comme un avantage plutôt que comme un inconvénient. Cela est particulièrement vrai pour les personnes qui n'ont pas conscience de leur rigidité tant qu'elles ne souffrent pas.

Du fait que l'ego contrôle la musculature volontaire, la rigidité est une expression de la volonté. Elle signifie : « Je ne ferai pas une telle chose », ce qui pourrait tout aussi bien vouloir dire : « Je la ferai. » « Je ne me soumettrai pas » pourrait également signifier : « Je vaincrai. » Les personnes rigides ont une volonté très forte, mais ce n'est pas un signe de santé. La volonté permet à une personne d'accomplir des choses, mais elle ne lui permet pas d'éprouver du plaisir, car ce dernier dépend de la capacité de céder. La volonté n'est en soi ni maladive ni signe de névrose. En cas d'urgence, elle peut même sauver la vie ; c'est d'ailleurs ce qui se passe à l'origine pour la personne rigide. La volonté ne prend un aspect de névrose que lorsqu'elle se structure dans le corps au point que la personne ne puisse plus s'en défaire pour s'abandonner complètement à l'amour ou à ses passions sexuelles. En dépit de l'apparente intégrité apportée par la rigidité, la personne est divisée entre sa tête et son corps, entre la pensée et le sentiment (ou la sensation).

En effet, nous nous trouvons en présence d'un facteur quantitatif. Tous, dans notre culture, souffrons plus ou moins de clivage. Quand il n'est pas grave, ce clivage s'accompagne de rigidité. Un fort clivage entraîne une rupture visible entre les segments majeurs du corps. Un individu divisé a perdu sa grâce et ne peut plus connaître l'expérience spirituelle qu'est l'identification avec l'universel. En effet, de la même façon que la volonté sépare la tête du corps, elle sépare la personne de la société.

D'un autre côté, la dissociation permet à l'individualité de s'épanouir. C'est la volonté qui fait de l'être humain une personne. Mais avoir de la volonté et être volontaire sont deux choses différentes. Se raidir, en cas d'urgence, ne signifie pas être constamment raide. Cependant, notre culture donne de la valeur à la rigidité, car cette dernière engendre une force qui nous impulse. En d'autres termes, nous agissons sous la contrainte. Nous considérons que c'est bien d'accomplir, de réussir, de se surpasser, de vaincre, sans jamais comprendre qu'il n'y a rien à vaincre dans la vie en dehors de notre peur de la vie. Plus nous avons peur et plus nous sommes rigides.

Voici un exercice qui teste la rigidité en déterminant le degré de flexibilité du cou et de la taille.

Exercice n° 18 :

Prenez la position de base décrite dans le chapitre précédent. Regardez par-dessus votre épaule gauche en tournant le plus possible la tête à gauche. Gardez cette position pendant plusieurs respirations et essayez de sentir la tension dans les muscles qui vont de la base du crâne aux épaules. Tournez ensuite la tête à droite et regardez par-dessus votre épaule droite en respirant profondément plusieurs fois.

Cet exercice, que j'exécute tous les matins, fait partie de mon programme personnel de mise en forme. Je le répète 5 à 10 fois de chaque côté.

Pour évaluer la flexibilité de votre taille, levez les bras en fléchissant les coudes à la hauteur des épaules et tendez-les sur les côtés. Puis, tournez votre corps le plus possible sur la gauche ; maintenez cette position pendant plusieurs respirations. Tournez ensuite votre corps sur la droite ; maintenez cette position pendant plusieurs respirations. Sentez-vous le degré de tension des muscles du dos et de la taille ? Etes-vous en mesure de respirer par le bas-ventre en faisant ces exercices ? Etes-vous dans la position correcte : debout les pieds parallèles, les genoux légèrement fléchis, le poids du corps portant vers l'avant ?

La vraie rigidité englobe tout le dos qui, de la tête au sacrum, peut pratiquement devenir aussi raide qu'une planche. J'ai une fois rencontré un homme qui souffrait d'une spondylite ankylosante (une maladie arthritique du dos) si grave que ses vertèbres s'étaient soudées en un bloc compact ; c'est un exemple très rare de rigidité. Cet homme ne pouvait ni courber ni tourner son corps et son comportement était tout aussi rigide que son dos. Je savais que son père était une personne dominatrice et riche qui exigeait de son fils une parfaite obéissance. Extérieurement son fils était en effet obéissant mais, intérieurement, il se raidissait pour résister. Il réprima malheureusement cette résistance au point qu'elle se structura dans son corps. Cet homme ne réussissait même pas à s'affliger sur sa maladie tragique, car pleurer signifiait s'abandonner et s'assouplir, ce qui lui était parfaitement impossible.

En général, la tension des muscles du dos est associée à de la colère réprimée (fig. 16). Quand nous sommes en colère, l'onde d'excitation remonte le long du dos et va jusque dans les dents (pour mordre) et dans les bras (pour battre). Un animal en colère fait le gros dos et ses poils se hérissent. Il en va de même pour une personne : son dos se gonfle, ce qui indique qu'elle est prête à attaquer. Exprimer la colère libère l'excitation et le dos peut alors reprendre sa position normale. Mais si la colère est réprimée, la tension persiste et devient chronique. Un tel état s'établit dans l'enfance, lorsque l'enfant sent son intégrité attaquée pour la première fois, généralement quand un de ses parents lui ordonne de faire quelque chose qu'il ne veut pas faire. S'il est puni pour sa résistance, la réaction normale de l'enfant est de se mettre en colère. Malheureusement, il arrive parfois que sa colère soit si fortement punie qu'il est forcé de la réprimer. Dans ce cas il cédera, mais seulement en apparence. Intérieurement, il se raidira pour résister, empêchant sa colère de s'exprimer, mais n'abandonnera pas l'impulsion, qui subsistera dans son inconscient. Une fois adulte, il ne ressentira peut-être pas la colère qu'il recèle, mais elle se

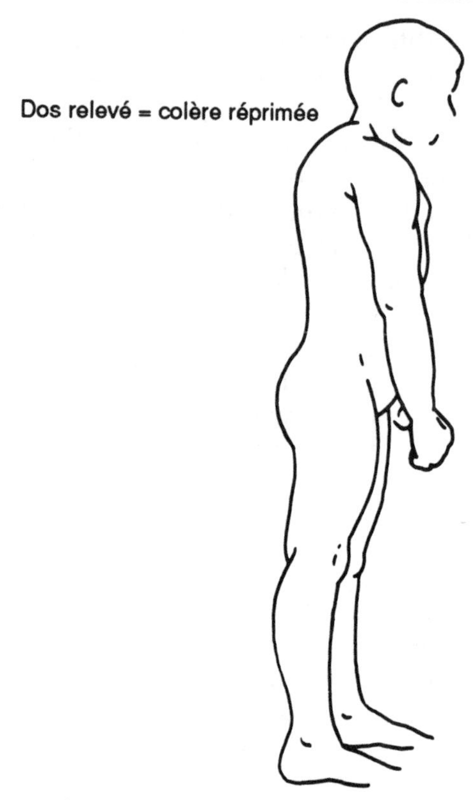

16. Tension chronique due à la colère réprimée.

retrouvera dans la tension et la rigidité du dos, qu'il ne peut pas voir pour des raisons physiologiques. Même s'il pouvait voir l'incurvation anormale de la partie supérieure de son dos, il ne saurait comment l'interpréter ; cette interprétation revient au thérapeute.

La rigidité du dos ne peut être réduite tant que la colère réprimée n'apparaîtra pas à la conscience et ne sera pas libérée. Une personne peut vaguement prendre conscience de sa colère sous-jacente si elle est sujette à des explosions de rage incontrôlées ou si elle est facilement irritable. Cependant, étant donné que de telles réactions ne sont pas mises en rapport avec la cause première, elles ne peuvent aider à décharger la tension. C'est seulement quand cette tension se réveille que la personne peut éprouver de la colère et établir le lien avec les traumatismes qui l'avaient engendrée. Comme je l'ai mentionné au chapitre V, l'exercice de base que j'utilise dans la thérapie bioénergétique pour aider à relâcher la tension du dos est de faire frapper le lit au patient avec les poings ou avec une raquette de tennis. Personne ne se fait mal dans cet exercice, qui est une manière efficace pour décharger la tension chronique issue de la colère contenue. J'utilise cet exercice pendant les séances et recommande aux patients de le faire aussi chez eux. Il est recommandé d'utiliser un matelas en mousse de caoutchouc. Les hommes se servent en général de leurs poings, et les femmes d'une raquette de tennis afin d'être plus efficaces.

Exercice n° 19 :

Mettez-vous face au lit, les pieds écartés et parallèles. Comme le mouvement doit partir du sol, il vous faut fléchir les genoux afin de gagner en élasticité. Légèrement penché(e) en arrière, levez vos poings ou la raquette au-dessus de votre tête. Ne vous penchez pas trop loin vers l'arrière, sinon vous risqueriez de rompre votre lien avec la terre. Pour gagner de la force, placez vos bras le plus loin possible en arrière. Cette position sera peut-être difficile à prendre en raison de la tension de vos épaules mais, si vous pratiquez cet exercice régulièrement, la tension disparaîtra.

Les bras en équilibre, prenez une bonne respiration et frappez le lit. Essayez de faire partir le mouvement des pieds pour que votre geste soit gracieux. Un coup forcé étant moins puissant, n'essayez pas de frapper le plus fort possible. Dans le tir à l'arc, la distance parcourue par la flèche dépend de la distance à laquelle la corde de l'arc est maintenue en arrière : la force de tout acte musculaire dépend de la longueur de la portée, non de l'intensité de la contraction.

Assurez-vous de respirer profondément et librement. Ne retenez pas votre respiration. Cet exercice fera peut-être naître de forts sentiments de colère, mais ce n'est pas son objectif. Le coup lui-même est l'expression de la colère. Correctement exécuté un grand nombre de fois, l'exercice relâchera la tension de votre dos.

Je recommande de faire l'exercice régulièrement, en frappant le lit de 20 à 50 fois.

J'ai moi-même souvent eu recours à cet exercice pour relâcher la colère contenue dans mon dos. Je m'étais rendu compte que mon dos était relevé, arrondi et contracté. Lors d'une séance de massage, j'exposai à mon kinésithérapeute la raison de la tension, que j'identifiai comme étant de la colère retenue. Je déclarai alors spontanément : « Je n'ai plus de raison d'être en colère. » En prononçant cette phrase, j'eus la sensation que quelque chose tombait dans mon dos. Je me sentis plus libre, et aussi plus droit, comme si un poids était tombé. Je m'étais débarrassé en partie de la rigidité et du contrôle qui limitaient ma vie.

Pour relâcher le contrôle, la tête doit s'abandonner au corps. Comme c'est difficile pour la plupart des gens des pays industrialisés ! Trop nombreux sont ceux qui vivent dans leur tête et non dans leur corps. J'exposerai dans un chapitre ultérieur de quelle façon nous pouvons interrompre l'incessante activité de notre esprit conscient. Il nous faut d'abord comprendre quelques-unes des fonctions associées à notre tête, cette partie de notre corps avec laquelle nous faisons face au monde.

9

Face au monde

Le visage, constitué de la bouche, du nez, des yeux et des oreilles, est la partie du corps la plus exposée au monde extérieur. Utilisé pour manifester les sentiments, sensations et attitudes, il est aussi la partie la plus expressive du corps. Il trahit pratiquement nos sentiments vis-à-vis du monde, à moins que nous ne soyons déterminé à les cacher. Mais, dans ce cas, un œil exercé réussit néanmoins à détecter des expressions simulées. Je n'ai, par exemple, jamais vu une personne authentiquement heureuse. Le plus souvent, une personne arborant un visage heureux tente de cacher des sentiments de tristesse et de douleur. J'ai rencontré des gens qui connaissaient la paix et éprouvaient une certaine joie de vivre, mais ils ne se considéraient pas comme heureux et n'avaient pas un visage souriant.

J'ai eu une fois un patient qui se considérait et qui était également considéré par ses amis comme un homme heureux. Lorsque je le priai de laisser tomber le sourire qu'il arborait habituellement, son visage s'assombrit énormément. Il était évident pour moi que son visage souriant lui servait à couvrir sa tristesse. Il ne me fut pas difficile d'en découvrir la raison. Lorsqu'il était enfant, sa mère souffrait de dépression et c'était à lui de la rendre gaie. Il était à présent âgé d'un peu plus de cinquante ans et ce même visage heureux lui servait à garder la tête haute.

Le sourire figé est le masque que l'on rencontre le plus fréquemment. Il cache des sentiments de tristesse, de colère et de peur et fait passer la personne pour « gentille ». Mais ça n'est qu'une façade. Un visage souriant peut révéler dans la vie privée un tout autre aspect de sa personnalité. C'est pourquoi il faut toujours se méfier d'un sourire figé. Quand je le rencontre chez un patient, j'essaie de lui en faire prendre conscience pour qu'il puisse percevoir ses vrais sentiments. Sinon, sa personnalité est clivée ; son ego s'identifie au visage souriant, tandis que son corps agit en fonction de ses sentiments les plus profonds. Un tel clivage n'altère pas l'intégrité de la personnalité, mais enlève sa grâce au corps et met sa santé en péril. Des sentiments douloureux ensevelis font supporter un énorme stress aux organes internes. La personne qui dénie une tristesse et une colère anciennes résultant de la perte précoce de l'amour par exemple est particulièrement sujette aux maladies de cœur (1).

Le cancer est, à mon avis, très étroitement lié à la répression des sentiments. J'ai connu un grand nombre de personnes atteintes de cancer qui, face à la maladie souvent fatale, souriaient et exprimaient leur foi en leur guérison. Dans un cas très clair où la maladie avait atteint sa phase terminale, la malade continuait à sourire et à affirmer qu'elle guérirait. Mais on ne peut pas lutter contre la maladie quand on est coupé de ses sentiments. A moins d'être amené à la surface et exprimé, le désespoir souvent suscité par le cancer mine l'énergie du malade (2).

---

1. Alexander Lowen : *Le Cœur passionnément : symbolique et physiologie de l'amour*.
2. Wilhelm Reich : *La Biopathie du cancer* (Payot, Paris ; 1976).

Un autre masque souvent rencontré est celui du clown ou du bouffon ; il se traduit également par le sourire, mais il revêt un sens différent : celui de ne pas considérer la situation comme sérieuse, même si elle l'est. La personne peut faire le clown par exemple, ou arborer en permanence un sourire sardonique. Cette attitude se rencontre chez des personnes qui ont été humiliées et blessées par leurs parents. Elles ont appris toutes jeunes à sauver la face à presque n'importe quel prix. Elles ont dénié être écrasées car, en admettant leurs sentiments, elles auraient perdu leur sentiment du moi.

Sauver la face est pour les Orientaux quelque chose de très important. Ils sont nombreux à adopter un comportement extrême pour ne pas montrer leurs sentiments, car les manifester entraînerait une perte de considération de la société. Comme les Occidentaux, les Orientaux portent des masques, mais pas dans le but de déguiser des sentiments en manifestant leurs contraires. Le masque oriental est placide et exempt d'émotion, car la philosophie orientale prône la vie contemplative non perturbée par les ouragans de la passion. Les religions orientales demandent à leurs adeptes d'apaiser leur corps, pas de se placer au-dessus. L'idée est de calmer le corps afin que l'être puisse percevoir au plus profond de lui-même la pulsation qui l'unit à l'univers. De même que les eaux calmes sont profondes, une personne calme a des sensations et sentiments profonds. En Orient, un visage sans expression est considéré comme la bonne manière de faire face au monde. Comme cette attitude est acquise dès l'enfance, elle se structure dans le corps, si bien qu'il est difficile à un Oriental d'exprimer ses sentiments ou d'en permettre la manifestation. Les enfants imitent naturellement leurs parents, adoptant les mêmes attitudes corporelles et les mêmes expressions faciales. Mais dans la mesure où un tel masque n'entraîne pas le clivage de la personnalité, la grâce du corps reste intacte. La grâce est importante dans la vie orientale, mais elle ne signifie pas censure de l'ego. Etre gracieux a toujours été en accord avec la voie naturelle, le Tao. Cependant, je doute que cette attitude se maintienne face à l'industrialisation croissante.

Ce sont les yeux qui révèlent inévitablement la différence entre un réel sourire et un masque. Un vrai sourire est le résultat d'une onde d'excitation ascendante, qui illumine le visage et éclaire les yeux, tout comme une maison s'éclaire quand elle est habitée. Quelqu'un qui a les yeux vides donne l'impression que sa maison n'est pas habitée. Les yeux les plus vides sont ceux d'un mort. J'ai un jour regardé dans les yeux d'un patient et y ai discerné le regard vide de la mort. J'étais sûr que cette personne était morte depuis longtemps, pas physiquement, mais sur le plan émotionnel. J'ai également rencontré le même regard vide dans les yeux des schizophrènes, qui ont l'esprit ailleurs et dont les yeux ne permettent pas d'établir le contact.

Lorsque je faisais mes études de médecine, me spécialisant en ophtalmologie, je lus dans un manuel la phrase suivante : « Les yeux sont le miroir de l'âme. » J'étais tout excité à l'idée d'en apprendre plus sur cet aspect des yeux, mais je n'entendis plus jamais parler de « miroir » ni d'« âme » pendant mes études. La science ne s'intéresse qu'au fonctionnement mécanique des organes et pas à leur spiritualité intrinsèque. Si quelque chose ne peut être mesuré, la science ne s'en préoccupe pas. Nous ne disposons d'aucune technique nous permettant de mesurer objectivement l'âme ou les sentiments, pas plus que l'amour ou la haine. Nous avons pourtant tous été regardés par des yeux pleins d'amour, de haine ou de sentiments profonds et nous avons donc la certitude que ces qualités intangibles existent vraiment.

Il serait peut-être plus exact de considérer les yeux non pas comme des miroirs, mais comme des fenêtres par lesquelles nous regardons le monde et par lesquelles nous sommes vus. Comme les fenêtres d'une maison, les yeux sont équipés de volets et de contrevents. Quand nous fermons les paupières, non seulement nous nous coupons du monde, mais nous pouvons aussi ternir la lumière intérieure, en sorte d'éviter également les regards curieux. Cela m'apparut clairement lors de mon travail avec un jeune attardé mental que j'appellerai David. David était âgé d'environ vingt-trois ans quand sa mère me l'amena en consultation. Je n'avais jamais soigné d'attardés mentaux jusqu'alors et je n'avais pas grande envie d'entreprendre cette thérapie. Mais j'étais curieux d'en apprendre plus sur la situation de David et décidai de le regarder dans les yeux. Il était allongé sur le lit, et je me penchai sur lui, le visage éloigné du sien d'environ 25 cm. Je le priai de me regarder dans les yeux. Au moment où il le fit, j'exerçai une légère pression de mes deux pouces le long de son nez. Le visage de David avait une expression que je pourrais qualifier de « sourire idiot », mais ma pression sur les muscles risorius l'empêcha de sourire. A ma grande surprise, une lueur d'intelligence surgit dans ses yeux. Lorsque David vit que je l'avais aperçue, son visage reprit son expression antérieure, comme pour dire : « Ça n'est pas vrai, je ne suis pas intelligent. » Mais, à un niveau profond, un contact s'était établi entre nous. Néanmoins, je ne pensais pas pouvoir l'aider. Je déclarai à sa mère que je l'adresserais à un collègue thérapeute en bioénergie qui était aussi un célèbre psychiatre pour enfants. David réagit vivement à cette suggestion. Se tournant vers sa mère, il déclara : « Maman, je veux travailler avec le docteur Lowen. » J'en fus si touché que je ne pus rejeter sa demande. Je vis David régulièrement pendant quatre ans, à peu près une fois par semaine.

Pendant la thérapie, David fit des progrès importants. Cependant, je ne revis jamais plus cette expression d'intelligence sur son visage. Il avait enterré cet aspect de sa personnalité et n'était pas prêt à l'extérioriser. S'il avait pu se manifester lors de la première consultation, c'est parce que David n'était pas sur ses gardes. Je me demandais si le cerveau était endommagé – comme le pensait sa mère – ou non. Elle dit que les premiers symptômes d'attardement s'étaient manifestés lorsque son fils avait environ un an. Elle imputait cet état au choc qu'il avait subi le jour où il fut témoin d'une querelle au cours de laquelle elle avait été battue par son mari. A pratiquement tous égards, son comportement était celui d'un attardé, mais il était capable de pourvoir à tous ses besoins fondamentaux. Il se comportait émotionnellement comme un enfant de quatre ou cinq ans. Il semblait avoir conscience de ce qui se passait, mais répétait toujours la même chose et cherchait une approbation du regard. Il était également maladroit dans ses mouvements. Je le remarquais surtout lorsqu'il me serrait la main au début de chaque séance. Il me prenait la main, mais ne faisait aucun effort pour la serrer. Chaque fois que je lui suggérais de serrer ma main plus fort, il contractait ses épaules. Ce fut un travail considérable de lui faire comprendre qu'il pouvait, grâce à ses mains, établir un contact significatif avec une autre personne. Il était capable de tenir des objets (il apprit par exemple à jouer au golf), mais le contact avec autrui lui était impossible. L'onde d'excitation nécessaire à un tel acte s'arrêtait aux épaules et n'atteignait pas ses mains. De même, sa lumière intérieure n'arrivait pas jusqu'à ses yeux. Il était non seulement attardé, mais également replié sur lui-même. Je sentais qu'il avait besoin d'exprimer sa personnalité.

Pour cela, il lui fallait apprendre à s'affirmer. Il était tributaire de sa mère, qui le contrôlait. Un des exercices que je lui faisais faire consistait à s'allonger sur un lit, les jambes dans une position qui lui permettait de les frapper en guise de protestation. Je lui demandais de dire « Non » en même temps, aussi fort qu'il le pouvait. David semblait aimer cet exercice. Il disait « Non » avec une grande joie et cherchait mon approbation du regard. Il était évident pour moi qu'il lui était difficile de dire « Non » à sa mère. Il avait cependant un côté rebelle qui se manifestait de diverses façons. Quand il se promenait seul, par exemple, il déclenchait le signal de l'une des bornes d'incendie et observait les voitures de pompiers arriver à toute allure pour voir où était le feu. Il avait l'air si innocent que les pompiers ne lui demandaient jamais ce qui s'était passé, bien qu'il fût la seule personne présente sur les lieux. Je ne sais pas de quelles autres manières il exprimait sa rébellion, mais je suis sûr qu'il trouva de nombreuses occasions pour le faire.

Bien que sa mère cédât à bon nombre de ses désirs – il prenait des leçons de golf auprès de professionnels de son club, se faisait masser régulièrement et portait des vêtements élégants – le vœu le plus fort de David était d'avoir un travail où il pourrait rencontrer d'autres personnes. Sa mère résista jusqu'à ce que j'insiste sur le fait que c'était ce dont il avait besoin. Il trouva un travail qu'il aimait dans le service d'expédition d'une compagnie proche, mais qui ne dura malheureusement que quelques mois. Il voulut alors trouver un autre emploi, mais sa mère ne fit aucun effort pour l'aider. Malgré tout, la thérapie progressait. Il était plus vif, parlait plus facilement et était plus libre dans ses mouvements. Même s'il ne mentionnait jamais son intérêt pour les femmes, je sentais qu'il existait et suggérai à sa mère de lui faire prendre des leçons de danse. Je lui expliquai que la danse améliorerait beaucoup la coordination de ses mouvements et lui donnerait la possibilité de tenir une femme dans ses bras. Sa mère avait largement les moyens d'assumer cette dépense, mais elle ne mena pas le programme à terme. Elle semblait avoir vraiment à cœur l'intérêt de David – pendant son enfance, déjà, elle l'avait emmené voir des spécialistes afin d'établir un diagnostic et de le soigner – mais, peu de temps après ma suggestion de faire prendre des leçons de danse à son fils, elle annula tous mes rendez-vous avec David en invoquant un prétexte quelconque.

C'est à ce moment-là que je compris en quoi consistait le problème du jeune homme : sa mère avait besoin de lui ; s'occuper de lui donnait un sens à sa vie. Elle n'avait pas vraiment de contact avec son mari, qu'elle soupçonnait d'avoir une liaison avec une de ses collaboratrices. Sans David, sa vie aurait été vide. Comment pouvait-elle le laisser devenir un homme et faire la connaissance d'une autre femme ? Je ne lui soumis jamais mes idées à ce sujet, car j'étais certain qu'elle se serait sentie blessée et trahie. Bien que la thérapie se fût terminée sur une sorte d'échec, David et sa mère restèrent en contact avec moi pendant des années. Il me téléphone parfois encore et exprime son désir de me voir, mais sa mère ne me l'amène jamais. Rien n'a changé dans leur relation. Ayant perdu sa personnalité et sa virilité, David a maintenant autant besoin de sa mère qu'elle a besoin de lui.

Je pense que cette analyse explique pourquoi David est attardé. Il s'est peut-être vraiment endommagé le cerveau en négligeant son intellect, mais je considère que là n'est pas l'origine de son trouble. Sa mère l'accapara lorsqu'il était jeune et sa seule défense fut de se replier sur lui-même. Afin de survivre, il supprima toute perception de cette situation.

Si nous regardions profondément dans les yeux des gens, nous pourrions y apercevoir leurs peurs, leur souffrance, leur tristesse et leur colère (chacun de leurs sentiments). Mais ce sont des sentiments que les gens n'aiment pas montrer. En Orient, mais aussi en Occident, se montrer triste, effrayé ou en colère équivaut à perdre la face. Nous essayons donc de cacher nos faiblesses aux autres et de nous les cacher aussi à nous-même. Je suis convaincu que nous fonctionnons selon un accord tacite : « Je ne regarderai pas dans votre âme si vous ne regardez pas dans la mienne. » Nous considérons comme poli de ne pas pénétrer le masque des autres. En conséquence, nous *voyons* rarement les autres. Quand les gens se disent bonjour, ils se regardent rarement dans les yeux. A la question : « Comment allez-vous ? » nous offrons une réponse de routine : « Je vais bien. » Quelle différence avec la salutation africaine traditionnelle : « Je te vois », décrite par l'écrivain Laurens van der Post (3) !

Le contact visuel n'est pas seulement une forme de reconnaissance, c'est aussi un moyen d'établir une relation énergétique avec une autre personne. Nous nous touchons littéralement avec nos yeux. C'est dû au fait que les yeux chargés émettent un faisceau d'énergie. Les gens sensibles à l'aura

---

3. Laurens van der Post : *A Story like the Wind* (William Morrow, New York ; 1972).

qui entoure le corps humain le voient réellement, tandis que d'autres en ont la perception physique. De nombreuses personnes racontent avoir perçu le regard de quelqu'un, même avec le dos tourné. Si le faisceau énergétique entre les yeux de deux personnes est tendre et affectueux, il peut susciter l'amour dans leurs cœurs. C'est l'origine de l'expression : « Avoir le coup de foudre. » J'ai moi-même été touché par des yeux qui envoyaient une onde d'excitation agréable à travers tout mon corps. Mais, tout comme les yeux peuvent irradier de l'amour, ils peuvent irradier de la colère et de la haine. On parle de « l'œil diabolique » qui est supposé jeter un sort. La colère exprimée dans un regard peut être violente au point d'arrêter une personne dans son élan. De même, un regard peut être si haineux qu'il glacera une personne sensible.

Notre esprit se manifeste et rayonne par nos yeux qui sont la voie la plus directe pour exprimer la spiritualité de notre corps. Des yeux grands ouverts, doux et chargés d'excitation amoureuse expriment une profonde spiritualité. De tels yeux voient le monde avec émerveillement et admiration. Malheureusement, trop peu de personnes ont de tels yeux. Le monde de leur enfance n'était pas, pour bon nombre de personnes, un environnement favorisant de tels sentiments. Je ne me réfère pas au monde physique dans lequel ces personnes ont grandi, mais à la qualité de leur environnement émotionnel, et plus spécifiquement à la relation qu'elles avaient avec leurs parents pendant leur enfance.

Rien n'influe plus sur la relation entre une mère et son enfant que la qualité de leur contact visuel. Quand un enfant voit le plaisir et l'amour dans les yeux de sa mère, il éprouve une grande joie et se détend. Mon travail avec mes patients et mon observation des gens m'amènent à conclure que peu d'enfants ont eu la chance de voir de l'amour dans les yeux de leur mère. Si une mère est déprimée, ses yeux tristes et vides formeront comme un nuage au-dessus de l'enfant. Si elle a une quelconque tendance à la névrose, son regard minera l'assurance de l'enfant et son sens de la réalité. Dans ce cas, la vision de l'enfant peut rester intacte, mais ses yeux deviendront vides, puisque l'énergie s'est retirée de la superficie de son corps.

Devant la souffrance, nous nous rétractons, psychologiquement et physiquement. Nous ne voulons pas voir d'expressions ou de scènes douloureuses ou désagréables. Si cette répugnance à voir devient chronique et inconsciente, elle peut perturber l'acuité visuelle. La myopie est littéralement une incapacité de voir plus loin que le bout de son nez. L'œil myope est un œil effrayé, mais le myope perçoit rarement sa peur. C'est néanmoins une peur qui date de son enfance, une peur de voir une expression de haine ou de colère dans le regard de ses parents. Il est particulièrement dévastateur pour un enfant de déceler dans les yeux de sa mère une hostilité dirigée contre lui. D'un seul coup, le corps de l'enfant se contracte de peur et il ferme les yeux de façon à effacer le visage de sa mère. Avec le temps, le strabisme se structure dans le corps. Le strabisme est une tentative de déjouer la réalité de l'hostilité. La menace est éliminée par le rétrécissement du champ visuel. Mais si l'hostilité de la mère persiste, l'attitude de défense de l'enfant s'effondre et l'effroi lui ouvre tout grand les yeux. La myopie apparaît en général juste avant la puberté et, à mon sens, peut souvent être associée à de l'anxiété sexuelle. Le rapport entre myopie et sexualité m'a été confirmé par une patiente qui m'a dit que quand l'onde d'excitation descendait dans son corps et atteignait ses organes génitaux, sa vue s'améliorait immédiatement. Le flux descendant est suivi par un flux d'excitation ascendant de même intensité qui va jusqu'aux yeux. Leur tension se relâche et ils deviennent plus vivants.

Le but de la thérapie est de restaurer la sensibilité des yeux. Cela signifie faire prendre conscience au myope de la peur contenue dans ses yeux et aussi établir un contact entre la personne dont les yeux sont vides ou inexpressifs et les yeux d'une autre personne, en l'occurrence le thérapeute. J'encourage les patients à me regarder dans les yeux ; dans la plupart des cas, j'approche mon visage du leur, comme je le fis pour David. De cette façon, ils peuvent voir dans mes yeux, tout comme je peux voir dans les leurs. La plupart des gens déclarent que mes yeux sont clairs et nombreux sont ceux qui y décèlent de la tristesse, et je sais qu'il y en a. Avec les personnes myopes, je prends un regard courroucé pour susciter la crainte dans leurs yeux. Une fois que leur regard exprime ce sentiment, leur vision s'améliore invariablement. Les exercices d'enracinement aident également à accroître le flux énergétique non seulement en direction des pieds, mais aussi en direction des yeux. Cette amélioration ne durera cependant pas, à moins que n'intervienne un changement dans la personnalité rendant la personne apte à se voir et à voir sa vie plus clairement.

Le contact visuel est presque impossible si le patient porte des lunettes. Je lui demande donc de les retirer pour pouvoir le regarder dans les yeux. Nombreux sont les patients qui le font à contrecœur car, en retirant leurs lunettes, ils ne voient pas nettement mon visage. Mais concentrer leur vue sur mon visage les aide à me voir. Pour leur faciliter la tâche, je rapproche aussi ma chaise.

Les lunettes n'empêchent pas seulement le contact visuel, mais également la pénétration de la lumière. La méthode élaborée par Bates pour améliorer la vision des myopes met l'accent sur l'ouverture des yeux à la lumière. Une de ces techniques est de faire visualiser au myope une plage très fortement éclairée par le soleil. L'éclatante lumière du soleil neutralise l'effet des sombres regards de la mère qui avaient, à l'origine, contraint l'enfant à obscurcir sa vue. En voyant à nouveau le monde sous un aspect clair et éclatant, les muscles des yeux se relâchent. C'est ce que je découvris à l'âge de quatorze ans, lorsqu'on m'apprit que je devrais porter des lunettes. On m'en fit faire une paire, mais je ne voulais pas les porter et les mis dans mon cartable. A la fin de la semaine, je les avais égarées. Ma mère m'en fit refaire, que je perdis également. Malgré leur prix peu élevé de sept dollars, ma mère n'avait pas les moyens de m'en acheter une autre paire. Je lisais et étudiais à la lumière du soleil, sans lunettes. Je jouais aussi beaucoup au tennis sur des courts en argile où la lumière était forte. Ma vue s'améliorait sans cesse. Etonnamment, je n'ai depuis plus jamais eu besoin de lunettes pour voir ou lire. Agé de soixante-dix-sept ans, je vis encore très bien sans en porter, peut-être parce que j'éprouve encore le besoin de voir et de comprendre la vie et le monde. J'ai une tendance à la presbytie, ce qui est un autre aspect de ma personnalité. En résumé, je suis quelqu'un de visuel, ce qui a peut-être d'autres origines, par exemple une curiosité sexuelle frustrée pendant mon enfance. Quelle qu'en soit la raison, je suis heureux que mes yeux soient encore vivants. La bouche et les mâchoires sont toutes deux reliées aux yeux par le couloir énergétique situé à l'avant du corps. Une importante tension des muscles des mâchoires réduit la charge énergétique des yeux et l'acuité visuelle, comme le montre l'exercice suivant.

Exercice n° 20 :

Projetez vos mâchoires en avant et tendez les muscles le plus possible. Notez-vous un changement de votre acuité visuelle ? Les objets vous paraissent-ils moins nets ? Eprouvez-vous de la difficulté à accommoder ? La tension des mâchoires empêche l'excitation corporelle de parvenir jusqu'aux yeux.

Il y a quelques années, je reçus une femme à qui on avait enlevé un sein atteint du cancer. Lois avait environ cinquante ans, était mariée et mère d'enfants adultes. Elle portait des verres très sombres quand elle pénétra dans mon bureau. Quand je la priai de les enlever, elle me répondit qu'elle ne pourrait pas me voir sans lunettes. Elle était très myope. C'était en outre une personne à l'air pincé, aux lèvres fines et étroites et le seul terme adéquat pour définir l'expression de ses mâchoires est « cruelle ». Lois insistait sur le fait que son enfance avait été heureuse et que son mariage l'était également. Mais son corps démentait fortement cette affirmation. Ses yeux étaient écarquillés par l'effroi – qu'elle était clairement déterminée à vaincre – et son visage exprimait sa désapprobation du plaisir et de la frivolité. Lorsqu'elle était enfant, son père avait attendu d'elle qu'elle soit forte, sûre d'elle et qu'elle réussisse. En conséquence, elle devint une femme déterminée à ne jamais avoir peur ni à être triste. Elle devint une femme d'affaires connue, travaillant dur, acariâtre et par-dessus tout résolue. Quand elle vint me voir, elle était déterminée à vaincre sa maladie par la volonté, mais c'était une lutte qu'elle ne pouvait gagner. Il lui fallait d'abord prendre conscience de sa peur et en comprendre les raisons. En cas de réussite, l'énergie qu'elle dépensait auparavant pour annihiler ses sentiments serait rendue disponible, ce qui permettrait à son système immunitaire de lutter contre la maladie.

La détermination nous fait tous serrer les dents. Dans la plupart des cas, la tension se dissipe dès que le besoin d'imposer sa volonté disparaît. Toute tension chronique de la mâchoire reflète une personnalité déterminée en permanence. Dans le cas de Lois, cette tension était imputable à la peur et à la tristesse. En réalité, la détermination ne peut vaincre la peur. Il est possible de réprimer la peur pour ne pas la ressentir, mais elle continue à exister dans la défense qu'on lui oppose, comme dans le cas de Lois. Il existe bien sûr des situations dans lesquelles il ne faut pas céder à la peur, comme dans un incendie où il est essentiel de ne pas paniquer. Mais la volonté s'exerce ici consciemment. Il n'en est rien quand la détermination a fini par se structurer dans le corps pour devenir un trait de caractère.

Etre déterminé à ne pas avoir peur n'est pas qu'un simple exercice mental. Il faut positionner les mâchoires de telle façon que les sentiments de peur ne puissent parvenir à la conscience. Serrer les mâchoires peut aussi nous aider à réprimer notre tristesse. Après tout, il est impossible d'éclater en sanglots tant que la mâchoire n'est pas suffisamment relâchée pour trembler.

C'est l'incapacité de la plupart des parents de tolérer les pleurs de leurs enfants qui est à l'origine de la détermination ultérieure de ces derniers. Les parents peuvent d'abord faire des efforts pour calmer un enfant qui pleure, mais si les pleurs persistent, il arrive que leur colère soit suivie de menaces ou de coups. Tout se passe comme si les pleurs de l'enfant les rendaient fous et devaient être stoppés coûte que coûte. Dans de telles circonstances, l'enfant réprime ses pleurs. Adulte, il peut encore lui arriver de verser des larmes, mais il lui sera pratiquement devenu impossible de sangloter intensément. Malheureusement, en réprimant ses pleurs, il réprime aussi sa capacité d'aimer. Une mâchoire serrée empêche le sentiment d'affleurer aux lèvres, ce qui fait du baiser un geste vide.

Une mâchoire serrée peut être soit saillante, soit rétractée. Une mâchoire saillante dénote une attitude agressive : elle montre qu'on est prêt à se battre et est souvent accompagnée de poings serrés et d'un air courroucé. Si la mâchoire est bloquée et immobile, le sentiment d'agressivité est inconscient. Une mâchoire rétractée dénote la retenue d'impulsions agressives. Une personne affligée d'une telle mâchoire est parfois considérée comme un faible, un poltron. La personne n'a pas conscience de retenir toute impulsion agressive. Dans l'un et l'autre cas, il faut qu'elle libère sa mâchoire pour pouvoir la faire bouger librement en avant, en arrière et sur les côtés. Pendant les séances, j'incite les patients à projeter leur mâchoire le plus possible en avant, afin qu'ils sentent bien le côté agressif de ce mouvement. Si une personne réprime sa colère, ce geste peut l'aider à prendre conscience de ce sentiment. Si la projection de la mâchoire est suffisamment forte, la colère apparaîtra aussi sur son visage et dans ses yeux quand l'énergie s'y répandra. En général, je suggère au patient d'accompagner cet exercice de paroles, comme par exemple : « Je te hais » ou encore : « Je vais te tuer. » En même temps, ses poings doivent être serrés pour faire participer le corps tout entier à l'expression de sa rage.

Une forte projection de la mâchoire peut aussi exprimer la provocation ou le défi. Mon expérience m'a prouvé que les patients doivent apprendre à exprimer cette attitude, car ils sont peu nombreux à être capables de s'affirmer ouvertement et directement face à une force dominatrice. Pendant l'enfance, cette force dominatrice est représentée par les parents. Dans la vie d'adulte, cela peut être l'époux ou l'employeur. Certains patients sont ouvertement rebelles. D'autres cachent plus leurs sentiments. Leur résistance prend la forme d'une rigidité corporelle inconsciente, une posture subtile qui signifie : « Je ne le ferai pas. » Ils donnent l'impression d'obéir à l'ordre ou à la requête exprimés, mais ils s'y refusent intérieurement et en sabotent l'issue. Soumission et rébellion sont les deux manières d'être opposées d'une même personnalité. De même qu'un rebelle lutte contre sa tendance à se soumettre, la personne dotée de peu de volonté est en rébellion profonde.

Les exercices qui suivent sont destinés à relâcher la tension des muscles des mâchoires. Prendre conscience d'une telle tension et des sentiments de colère ou de rage meurtrière qui la sous-tendent est une expérience positive qui octroie un meilleur contrôle de soi.

Exercice n° 21 :

Mettez-vous dans la position de base décrite dans le chapitre précédent. Projetez votre mâchoire inférieure vers l'avant et maintenez cette position pendant trente secondes en respirant régulièrement. Ressentez-vous une douleur dans la région de l'articulation temporo-mandibulaire ? Les muscles sont-ils tendus ? Faites bouger votre mâchoire vers la droite et vers la gauche, tout en la maintenant projetée en avant. Il est possible que ce mouvement provoque en outre des douleurs dans la nuque. Maintenant, ouvrez la bouche le plus possible et essayez de passer les trois doigts du milieu de la main entre les dents. La tension dans la mâchoire est si forte chez certaines personnes qu'elles ne réussissent même pas à ouvrir grand leur bouche.

Relâchez votre mâchoire ; projetez-la de nouveau en avant, serrez les poings et dites : « Je ne le ferai pas » plusieurs fois avec véhémence. Y a-t-il de la conviction dans votre voix ? Vous pouvez aussi essayer d'exécuter cet exercice en disant : « Non. » La bioénergie encourage le patient à utiliser sa voix, à dire « Non » ou « Je ne le ferai pas » aussi fort que possible pour s'affirmer. Plus l'expression est véhémente et plus fort est le sens du moi qu'elle engendre.

L'impulsion de mordre est la dernière caractéristique des mâchoires tendues à devoir être analysée. Pendant l'allaitement, les bébés collent souvent leur palais au sein de la mère pour téter de manière plus efficace. Nos dents sont également nos premières armes de défense et d'attaque. Un enfant est capable de mordre avant de pouvoir donner des coups. Pendant toute leur enfance, certains enfants mordent pour exprimer leur colère. A quatre ans, mon fils a mordu notre chien afghan pour l'empêcher de le bouter hors du chemin. Pour la plupart des parents, il est beaucoup plus acceptable de battre que de mordre, car ils considèrent ce dernier acte comme irrationnel et horriblement animal. Mordre la poitrine pose des problèmes particuliers. Cela se produit souvent quand la mère tente de retirer son sein de la bouche de son bébé avant qu'il ait fini de se nourrir. Cette morsure peut être très douloureuse, mais si la mère réagit par la colère, l'enfant peut prendre peur. Il réprimera son impulsion de mordre en tendant les muscles des mâchoires. Je dirais qu'un enfant qui souffre du syndrome T.M.J. (syndrome de l'articulation temporomandibulaire) ou d'une tension des muscles des mâchoires a refoulé des impulsions de mordre. Libérer celles-ci décharge la tension et relâche la mâchoire. Les réprimer affaiblit les dents et est responsable de nombreux problèmes dentaires.

Il y a longtemps, j'avais une patiente qui rêvait périodiquement qu'elle essayait de mordre et qu'elle sentait ses dents s'effriter dans sa bouche. Quand je la rencontrai pour la première fois, elle souffrait d'une grave parodontose et avait beaucoup de dents déchaussées. Elle se faisait soigner par un dentiste, mais je vis que ses dents et son visage avaient besoin d'un apport d'énergie. Elle me raconta une triste histoire, que lui avait racontée sa mère et qui expliquait son rêve.

Quand ma patiente était bébé, sa mère s'amusait à un jeu bien particulier. Elle présentait son sein à l'enfant, mais le retirait quand le bébé essayait de l'attraper avec sa bouche. La mère trouvait très amusant de voir l'enfant le visage déformé par la frustration se mettre à pleurer, de sorte qu'elle recommençait le jeu. L'enfant finissait par pouvoir téter, mais ce jeu la traumatisa sérieusement. Elle associa les pulsions naturelles de sa bouche de se tendre, prendre et garder à l'anxiété et à l'insécurité. Son impulsion naturelle était de mordre le sein qui lui était présenté pour être sûre de l'obtenir, mais elle sentait qu'un tel acte équivaudrait peut-être à ne plus pouvoir téter. Elle aurait effectivement pu mordre le sein, ce qui aurait provoqué chez sa mère une réaction de courroux. Ma patiente comprit très vite que mordre aurait des conséquences négatives, de sorte qu'elle annihila par peur l'énergie de ses dents et abandonna toute impulsion de mordre. Mais cette impulsion ne disparut pas pour autant, car mordre est dans la nature humaine. La patiente percevait cet acte comme dangereux, ainsi que ses rêves le prouvaient. Le travail bioénergétique associé à des soins sérieux améliorèrent nettement l'état de ses dents.

Enfoncer ses dents dans un objet signifie en prendre possession, tout prédateur le sait. Les patients ont besoin de sentir leur capacité de mordre et d'évaluer le sentiment de pouvoir qui en découle. Comme exercice, je les fais souvent mordre dans une serviette enroulée. Je suis toujours étonné de voir combien de gens ont peur de s'abîmer les dents en le faisant. Parfois, j'entame une sorte de bagarre. Comme deux chiens se battant pour un os, nous mordons chacun une extrémité de la serviette avec nos dents pour essayer de l'arracher à l'autre. Cet exercice mobilise également les muscles du cou qui sont contractés chez un grand nombre de gens. Il y a peu de danger si l'on saisit fermement la serviette avec les dents du fond.

Bien sûr, toutes les impulsions orales n'expriment pas l'hostilité. Les bébés tendent leurs lèvres pour se nourrir et les adultes tendent leurs lèvres pour embrasser. Néanmoins, bon nombre de personnes éprouvent des difficultés à les tendre doucement. Elles le font en projetant leurs mâchoires en avant. Et, comme nous l'avons vu, cela exprime une attitude négative : « Je ne le ferai pas », et interrompt le geste positif de tendre les lèvres avec douceur pour embrasser. La projection des mâchoires signifie : « Je ne céderai pas », et traduit bien l'ambivalence qui caractérise le comportement névrosé. Une partie d'eux-mêmes veut se tendre, mais une autre se replie par peur et par colère. L'effet d'un tel comportement est nul, le baiser ne leur procure aucune sensation réelle. Pour connaître la joie de vivre et l'excitation, nous devons être capable de nous abandonner complètement au désir et au besoin de proximité et de contact. Il nous faut surmonter l'ambivalence ; mais cette dernière se structurant en tension dans les muscles qui entourent la bouche, la surmonter ne peut se faire sur le seul plan psychologique. Si nous voulons que l'acte de tendre nos lèvres soit libre et total, nous devons beaucoup nous entraîner à mobiliser nos lèvres indépendamment des mâchoires. Au fur et à mesure que la tension disparaîtra des muscles de la bouche, les lèvres vibreront d'excitation, tout comme le font les jambes dans l'exercice d'enracinement. Les patients ont alors une perception de leurs lèvres tout à fait nouvelle et vivante.

La plupart des patients éprouvent des difficultés à tendre leur lèvre supérieure. Ils ont été entraînés à garder « la lèvre supérieure raide », ce qui équivaut à cacher des sentiments de tendresse. Ne pas se tendre vers autrui évite le risque d'être rejeté et blessé. Il est clair que quiconque agit de la sorte a durement été blessé étant enfant, quand – en toute innocence et le cœur ouvert – il s'est tendu pour établir le contact (l'amour). Mais une lèvre supérieure raide a encore une autre signification. Même en cas de peine et de souffrance, on ne doit pas pleurer. Dans notre culture occidentale, les pleurs sont quasiment un signe de faiblesse. Certains mettent toute leur fierté dans leur capacité de ne pas s'abandonner à leurs sentiments de souffrance et de tristesse. Un grand nombre de personnes considèrent que ne pas pleurer la perte d'un être cher est un signe de force. Dans certaines occasions, ne pas pleurer peut être un avantage, mais il ne s'agit d'une réaction saine que si le choix est conscient et ne procède pas d'une attitude structurée. Celui ou celle qui ne peut pas pleurer ne peut pas non plus éprouver de joie.

Pleurer est comparable à la pluie : elle est parfois douce, parfois violente, mais essentielle à la vie de la terre. Tout comme un pays sans pluie se dessèche, une vie sans larmes devient un désert. Si nous ne sommes pas capable de pleurer, nous nous coupons des autres. Beaucoup de gens ont peur de perdre littéralement la face s'ils pleurent. J'ai souvent entendu des femmes déclarer après avoir beaucoup et profondément pleuré : « Je dois être affreuse. » Leur visage était certes décomposé, mais elles étaient radieuses. Leurs yeux et leur peau ressemblaient au ciel après la pluie : propre, lumineux, frais et étincelant.

Après une tempête, le ciel est serein et le monde semble être en paix. Malheureusement, il est rare que les tempêtes émotionnelles des humains éclaircissent complètement leur physionomie. La raison en est que la paix de l'esprit est liée à la paix du corps. Un corps en paix n'est pas immobile ; le flux d'excitation qui l'anime est plutôt comparable au courant d'une large rivière : profond et ample. De la même manière que les rochers entravent le courant de la rivière, la tension musculaire chronique du corps interrompt sentiments et sensations, produisant des conflits et un « bruit » émotionnel. Ces ruptures font de l'être humain la seule créature à manquer de paix spirituelle. Nous apprendrons à la recouvrer dans le prochain chapitre.

10

La paix de l'esprit

Le conflit entre l'ego et le corps aboutit à une perte de notre grâce corporelle. Mais ce même conflit nous enlève aussi notre tranquillité d'esprit. Quand ils ne dorment pas, la plupart des gens ont l'esprit en constante activité, une pensée succédant à l'autre, souvent sans fil conducteur apparent. Ce flux de pensées, ou « courant de conscience », est en général considéré comme un attribut positif. Il est cependant souvent exagéré ; la personne est alors préoccupée par elle-même et ses problèmes au point qu'elle s'isole plus ou moins de son environnement. Se concentrer uniquement sur ce qui se passe dans notre esprit limite le contact avec autrui et l'environnement ; cette attitude mine notre conscience spirituelle et restreint notre capacité d'aimer ; en effet, l'amour – comme la spiritualité – dépend de notre aptitude à sortir de nous-même et à nous tendre vers autrui. Non seulement la préoccupation affaiblit notre capacité de transcender le moi, mais elle nous limite dans notre identification avec notre moi réel, cette identification étant l'acte qui nous permet de percevoir notre corps. Sans paix de l'esprit, l'accomplissement de soi qui se traduit physiquement par une attitude gracieuse devient possible.

L'hyperactivité mentale peut produire, chez certaines personnes dotées d'une intelligence supérieure, de brillantes théories scientifiques. Il est cependant fait état d'un certain nombre d'idées créatrices nées spontanément sans l'intervention de la réflexion. Pour les personnes d'intelligence moyenne, l'activité mentale constante tourne autour de problèmes personnels qui n'ont pratiquement jamais de solution logique. La plupart des problèmes résultent d'un conflit entre la pensée et le sentiment ou la sensation, entre ce que nous désirons faire et ce que nous pensons devoir faire. Si, comme les animaux, nous avions foi en nos sentiments et les suivions, nous pourrions connaître la paix de l'esprit. Mais les humains ont la chance ou la malchance d'avoir un esprit qui cherche à comprendre et à contrôler la nature, y compris le corps. Cependant, l'Homme n'est pas bon ; sa connaissance est limitée et son aptitude à comprendre imparfaite. Convaincu de posséder le savoir et d'avoir raison, il se retourne contre la nature. C'est une lutte qu'il ne peut gagner, et qu'il a néanmoins peur de perdre. Tant qu'il lutte, tant qu'existe un conflit au sein de sa personnalité, il ne peut connaître la paix spirituelle. Bien sûr, l'intensité du conflit et de la lutte varie selon les personnes. Nous nous devons de comprendre que c'est notre harmonie intérieure et avec la nature qui nous apporte la paix spirituelle.

J'ai fait remarquer au deuxième chapitre qu'il faut de l'énergie pour pouvoir se détendre. L'inverse est également vrai. Si nous ne sommes pas calme, nous ne pouvons pas emmagasiner la quantité suffisante d'énergie dont nous avons besoin pour faire face aux tensions de la vie moderne. Pour être calme, nous devons habiter complètement notre corps. Plus nous le faisons, moins nous sommes tributaire de notre moi conscient. Un principe fondamental de la bioénergie est qu'il y a perte de contact avec toute partie du corps dans laquelle existe une tension musculaire chronique. Plus le corps est rigide, moins il a de sensations et plus il ressemble à une machine. Simultanément, le cerveau travaille plus et nous fondons entièrement notre sens du moi sur nos mécanismes de pensée. Le corps est alors essentiellement un appareil qui sert à transporter la tête et à exécuter les pensées. Une telle personne n'a que très peu de vie, et de spiritualité.

La vie d'une personne rigide devient une longue lutte en vue de résoudre les conflits internes qu'elle doit affronter. Pendant la journée, le cerveau est constamment en train de fonctionner et, pendant la nuit, nous rêvons pratiquement sans discontinuer. Les rêves sont la manifestation de nos efforts conscients pour résoudre nos conflits et tensions du corps et pour nous en défaire. Bien que les images des rêves aient le cerveau pour siège, le corps entier participe à l'acte de rêver. Nous savons que le rêve est accompagné de mouvements des yeux très rapides et d'excitation sexuelle. Mais il peut arriver que nous parlions, pleurions ou criions, voire que nous nous battions ou donnions des coups de pied. Pendant le sommeil, l'ego n'est plus sur ses gardes, ce qui réduit ses inhibitions. La tension qui nourrit le rêve peut résulter d'une expérience récente ou d'une expérience refoulée de l'enfance. Elle peut aussi avoir son origine dans la tension inhérente à la nature humaine, à savoir le conflit existant entre l'esprit qui sait et le corps instinctif, entre l'individualité et l'identification, entre le contrôle et la foi.

Le conflit est potentiellement à la fois créateur et destructeur. Un débat entre les défenseurs de deux conceptions divergentes peut très bien aboutir à une meilleure compréhension. Une guerre entre les deux parties aurait par contre des conséquences néfastes pour l'une et l'autre, quel qu'en soit le vainqueur. Les Chinois anciens étaient parfaitement conscients du besoin d'harmonie entre les positions antithétiques et les forces opposées. Nous pourrions actuellement réaliser une telle harmonie en intégrant les philosophies occidentales et orientales. Les Occidentaux atteignent la paix spirituelle par le biais de l'analyse (ou thérapie), les Orientaux grâce à la méditation. Je vais examiner l'un après l'autre chacun de ces procédés et montrer comment on peut les intégrer.

Nous devons reconnaître au départ que la plupart des efforts thérapeutiques ne réussissent pas à aider l'individu à résoudre ses conflits et à trouver la paix spirituelle. Il y a, à mon avis, deux raisons à cet échec. La première est que le thérapeute ne comprend pas la nature du problème, et la seconde, liée à la première, est que la dépendance par rapport à l'esprit est trop grande pour qu'un changement de comportement puisse se produire. J'ai souligné dans ce livre qu'il était nécessaire de regarder le corps, d'observer ses mouvements et de savoir lire ce qu'il exprime pour comprendre la personne et pour évaluer et soigner ses perturbations émotionnelles. Celles-ci se sont structurées dans le corps et se traduisent par une absence de grâce. Une analyse, ou thérapie qui porte essentiellement sur les malaises ou les symptômes n'est pas une approche holistique, car elle ne se préoccupe pas de la personne dans son entier. Un travail ne portant que sur l'esprit est insuffisant si on veut être gracieux. C'est une erreur de croire que le raisonnement conscient suffit à lui seul pour résoudre des conflits émotionnels profonds. La plupart de nos actes et de nos comportements sont gouvernés par des sensations et des impulsions que nous percevons ou ne percevons pas. L'analyse tente de faire apparaître à la conscience ces forces inconscientes, aussi menaçantes soient-elles. La psychanalyse repose largement sur la libre association, les lapsus, l'interprétation des rêves et l'analyse des transferts pour jeter la lumière sur l'inconscient. L'analyse jungienne repose plus sur l'interprétation des rêves. Mais comme ces techniques ne sont pas directes, elles ne plongent dans la plupart des cas pas suffisamment profond dans l'inconscient. Même si les patients prennent conscience de certaines de leurs motivations inconscientes, un tel regard n'apporte en général pas de changements significatifs. Les attitudes et comportements névrosés sont fortement structurés dans le corps par des tensions musculaires chroniques sur lesquelles l'esprit n'a aucun contrôle. Le patient doit se débarrasser de ces tensions avant de pouvoir résoudre réellement ses conflits. La bioénergie est une technique plus efficace et plus puissante que la seule analyse, car elle propose un moyen plus direct d'accéder à l'inconscient. En lisant le langage du corps, le thérapeute est capable de discerner immédiatement les conflits de la personnalité dans les zones de rigidité et de tension chronique. En travaillant sur le corps selon les techniques décrites dans les chapitres précédents, le patient apprend à sentir ces tensions et à entrer directement en contact avec son inconscient. Une telle approche ne néglige en rien l'analyse verbale, qui inclut l'interprétation des rêves et l'analyse des transferts et des résistances, mais sa préoccupation principale est le corps. La rigidité est atténuée, les tensions chroniques déchargées et le corps libéré, afin que le patient puisse sentir la vie de son esprit. Le corps retrouve en effet sa grâce naturelle.

Les patients peuvent rarement accomplir tout seuls ce travail. Les sentiments et sensations réprimés sont généralement trop effrayants pour être vécus et extériorisés sans le support et la compréhension d'un thérapeute qui sert de guide à l'inconscient du patient. La valeur d'un guide dépend du degré d'exploration du monde inconnu qu'est son propre inconscient. Je compare l'expérience thérapeutique avec le récit qu'a fait Dante de ses aventures (1) : « Quand le poète se trouve perdu au fond d'une forêt avec trois bêtes sauvages qui lui font face, il invoque Béatrice, sa protectrice dans le Ciel. Comme son chemin de retour passe par l'Enfer et le Purgatoire, Béatrice lui envoie le poète romain Virgile pour le guider. En traversant l'Enfer, Dante voit les punitions infligées aux pécheurs. La traversée est dangereuse, car tout faux pas le laisserait bloqué dans un des gouffres de l'Enfer. C'est seulement grâce à son guide Virgile que Dante ressort

1. Dante : *La Divine Comédie*.

sain et sauf de l'Enfer et du Purgatoire. » Le patient qui suit une thérapie fait une expérience similaire sur le chemin de la santé et de la connaissance de soi. Son enfer personnel consiste en sentiments douloureux qu'il réprime pour pouvoir survivre : le désespoir, la panique, la rage et l'humiliation. Les tensions musculaires chroniques que suscitent ces sentiments réprimés ne peuvent être libérées tant que les sentiments ne viennent pas à la conscience pour s'exprimer. Ce travail nécessite l'aide d'un thérapeute qui a traversé son propre enfer, apprenant quels en sont les dangers, et a trouvé sa voie pour en sortir.

De nos jours, la grande majorité des gens vogue entre le ciel et l'enfer, touchant tantôt l'un tantôt l'autre. Nous pouvons connaître des moments de joie, mais nous avons trop souvent l'impression que nous risquons de tomber dans un gouffre. Le seul moyen de nous sortir de cette situation est d'agir comme Dante. En explorant notre enfer personnel, en descendant dans les profondeurs de notre être éclairé par la lumière de la conscience, nous abolissons l'enfer, car l'enfer ne peut exister que dans l'obscurité. De façon analogue, quand nos sentiments réprimés atteignent notre conscience et que nous les acceptons, ils ne peuvent plus nous tourmenter.

Lors d'un atelier en bioénergie, une de mes patientes se tenait devant le groupe des participants en hurlant sa haine de sa mère qui l'empêchait d'être une personne à part entière et qui n'en était pas une elle-même. La mère de Jane n'exprimait jamais aucun sentiment, et ne permettait pas non plus à sa fille d'en exprimer. C'était une femme soumise qui arborait un visage souriant et prétendait que tout allait bien. Le père de Jane était un homme inintelligent, grossier et à l'esprit étroit, qui regardait toutes les femmes, y compris sa fille, avec dégoût. Jane était une femme séduisante, style femme-enfant ; elle vint me voir en se plaignant que son corps entier, des pieds à la tête, était insensible. Bien qu'il n'y eût aucune perturbation organique, sa sensibilité sexuelle avait toujours été nulle. Son seul désir était qu'on lui montrât de la gentillesse. Mais les hommes avec lesquels elle avait des liaisons l'utilisaient et ses employeurs l'exploitaient. Elle avait toutes les raisons d'être en colère.

Grâce à une longue thérapie, Jane s'éveilla à la vie. Son corps regagna de la sensibilité, elle commença à mieux se percevoir comme personne et apprit à exister par elle-même. Mais, à l'époque où elle participait à cet atelier, elle n'avait pas encore recouvré sa sexualité, bien qu'elle sentît la gravité de sa perturbation et la tristesse d'être passée à côté de tant de choses dans sa vie. Tandis qu'elle hurlait sa haine devant le groupe, son visage était déformé, ses yeux tout petits et ses poings fermés et tremblants. Elle avait un air démoniaque. On aurait dit que toute la furie de l'enfer s'était déchaînée dans son explosion. Elle déclara plus tard que, d'une certaine manière, elle avait conscience de cette haine qui l'habitait, mais son intensité lui donnant l'impression d'être un monstre, elle n'osait y toucher. Après cette explosion, son visage était doux et détendu, et ses yeux brillaient. Elle se sentait plus libre.

Nous voyons l'enfer comme un endroit extérieur situé au plus profond des entrailles de la terre. Mais notre enfer personnel se situe dans nos propres entrailles, la cavité pelvienne, là où notre sexualité est enchaînée. C'est là que se trouvent les racines de notre vraie spiritualité, la base de la kundalini. C'est dans nos entrailles que nous prenons vie et que nous expérimentons pour la première fois la félicité paradisiaque. A notre naissance, nous sommes expulsé du paradis. Nous pouvons retrouver ce sentiment ou cette sensation de félicité lorsque, en sécurité dans les bras de notre mère, nous nous nourrissons à son sein. Nous pouvons également le connaître lorsque, sécurisé par l'amour de notre partenaire, nous nous unissons à lui ou à elle dans l'étreinte sexuelle. Il existe peut-être d'autres occasions de vivre la joie de l'accomplissement, mais je pense qu'elle procède de notre être en contact avec cette partie profonde de nous-même.

Nous savons que le contact est établi quand nous sentons l'onde d'excitation se répandre dans notre corps jusqu'au plancher pelvien et les jambes pour atteindre le sol.

Les religions orientales sont très conscientes qu'il nous faut quitter notre tête et descendre au plus profond de notre être. La méditation est la technique mise en œuvre pour ce faire. En tranquillisant notre esprit, nous sommes à même d'entendre les sons de notre âme. Les règles sont très simples. Il faut trouver un endroit tranquille pour ne pas être dérangé par les bruits et les distractions du monde extérieur. Les Orientaux adoptent en général la position du Lotus ou se mettent à genoux sur le sol. Les Occidentaux peuvent préférer s'asseoir sur une chaise. Pour tranquilliser l'esprit, on récite un mantra. Le son sur lequel cette courte prière est habituellement dite est « omm », un son qui ressemble à un « hum » sonore. Dans la méditation transcendantale, l'adepte reçoit une courte formule qu'il doit réciter. A mon sens, les mots ont relativement peu d'importance. C'est le ton chantant sur lequel ils sont prononcés qui a un effet calmant, car il empêche les cordes vocales de former des mots. Il a été prouvé que, quand nous pensons, les cordes vocales sont en activité, même si les mots qu'elles forment sont silencieux. Les cordes vocales ne peuvent à la fois produire des sons et former des mots.

Il n'est cependant pas nécessaire de chanter pour méditer correctement. La clef de la méditation réside dans la profonde respiration, qui aide à se détendre. Mais nous savons déjà qu'il nous est impossible de relâcher les tensions musculaires chroniques dont nous ne sommes pas conscients. Dans la plupart des cas, il faut travailler analytiquement et physiquement sur ces tensions afin de libérer le corps de leur emprise. J'ai constaté que la méditation est plus facile et plus efficace chez les Orientaux que chez les Occidentaux, qui sont plus tendus. Néanmoins, dans la mesure où l'on peut se détendre et respirer profondément, la méditation aide à connaître la paix spirituelle, ainsi que je le montre dans l'exercice suivant.

Exercice n° 22 :

Trouvez un coin tranquille et asseyez-vous sur une chaise dure, les pieds parallèles et à plat sur le sol.

Relevez la tête et tenez-vous aussi droit que possible. Sentez votre dos contre la chaise. Laissez vos bras reposer avec souplesse sur vos genoux. Ne vous raidissez pas, sinon vous ne pourrez pas atteindre l'objectif de l'exercice.

Fermez les yeux et concentrez-vous sur votre respiration sans faire d'effort particulier pour respirer. Vous vous apercevrez que l'inspiration et l'expiration se font toutes seules. Vous sentirez l'onde respiratoire (onde d'excitation) se répandre dans votre corps, montant pendant l'inspiration et descendant pendant l'expiration. Restez concentré(e) sur l'onde, lui permettant d'aller de plus en plus profond dans votre ventre et votre pelvis. Pour réussir cet exercice, vous devez relâcher la partie inférieure de votre corps en faisant ressortir votre ventre et en laissant s'affaisser votre fessier. La plupart des gens maintiennent leur plancher pelvien relevé, comme nous l'avons vu dans un précédent chapitre. Sentez-vous l'onde respiratoire descendre jusqu'au plancher pelvien ?

Faites cet exercice pendant environ dix minutes si vous le pouvez. Continuez à vous concentrer fortement sur l'inspiration et l'expiration de manière à sentir la pulsation fondamentale de votre corps. Il se peut que vous la sentiez se répandre dans votre corps entier, allant des pieds à la tête. Si c'est le cas, vous pourrez momentanément prendre conscience d'avoir part à un univers en pulsation. A ce moment, vous aurez quitté votre moi et participerez de l'universel.

J'ai une façon à moi très efficace de méditer. En marchant, je concentre toute mon attention sur mon corps pour sentir chacun de mes mouvements. Quand je peux laisser mes jambes me porter, je me sens être un avec mon corps, le sol et l'environnement. Ma respiration s'approfondit, allant jusqu'au pelvis. Mon esprit cesse de former des mots lorsqu'il est attentif aux sensations qui surgissent dans mon corps. J'utilise la même technique pendant mes exercices bioénergétiques. Le principe consiste à sentir le corps, et les exercices sont exécutés dans ce but. Il peut d'ailleurs être appliqué à toute activité.

Nous vivons pleinement le présent quand nous habitons pleinement notre corps. La conscience se répand si profondément dans notre corps que nous sentons les pulsations de la vie. C'est la manière de fonctionner des animaux. Un chat étendu au soleil et regardant par la fenêtre est une image parfaite d'un organisme en paix avec lui-même et avec le monde. Nous, les humains, connaissons cet état quand notre présent inclut notre passé et détermine notre avenir, la tradition étant le maillon de la chaîne. Il y a des siècles, les gens vivaient selon la mythologie, qui maintenait le passé vivant dans le présent et définissait clairement le futur. Mais ils vivaient dans une culture linéaire ne connaissant que peu de changements et de progrès. Dans une culture comme la nôtre – qui est en perpétuel changement – les liens entre le passé, le présent et le futur sont souvent brisés. Comme le passé est refoulé et oublié, l'avenir devient dangereux et incertain. Nous avons vu au chapitre VIII quels dommages la personnalité peut subir quand les segments majeurs du corps ne sont plus reliés. Nous considérons maintenant le même problème dans une perspective plus globale.

Au centre même de notre personne se trouve l'âme animale en harmonie avec la nature, avec le monde et avec l'univers. Si nous nous en coupons, notre esprit continuera à fonctionner logiquement, mais nos pensées auront très peu de valeur sur le plan humain. Comme l'a écrit Saul Bellow (2), « même dans la plus grande des confusions, il y a toujours une voie ouverte vers l'âme. Elle peut être difficile à trouver… Mais elle existe, et notre travail consiste à la garder ouverte, pour avoir accès à la partie la plus profonde de nous-même – à cette partie de nous qui est consciente de l'existence d'une conscience supérieure. ».

Il n'existe pas de chenal analogue dans l'esprit, mais il y en a un dans le corps et il est traversé par les ondes d'excitation qui vont dans le pelvis. Etant alors pendulaire, l'onde

---

2. Saul Bellow : *The Closing of the American Mind* (préface Allan Bloom ; Simon & Schuster, New York ; 1987).

remontera aussi loin dans le corps qu'elle est d'abord descendue. Toute conscience supérieure est reliée à une conscience plus profonde. Un arbre ne peut s'élever vers le ciel que dans la mesure où ses racines s'enfoncent profondément dans la terre. Nous examinerons dans le prochain chapitre ce qu'est cette conscience supérieure.

11

Amour et foi

Affirmer que l'Homme ne vit pas seulement de pain implique qu'il a autant besoin de foi que de pain pour survivre. Le pain pouvant seulement nourrir le corps, l'animal humain a besoin d'une autre nourriture pour son esprit. Cette nourriture spirituelle est l'amour, qui est une relation profonde et chaleureuse avec une ou plusieurs personnes, une créature différente, la nature ou Dieu. Je ne pense pas que les humains soient les seuls à éprouver ce besoin. Un animal dépérit s'il est coupé de la vie. De nombreux animaux sauvages meurent en captivité, car leur esprit est brisé. Ils faisaient partie d'un certain environnement qui nourrissait leur corps et donnait un sens à leur vie. Ce sens réside dans l'excitation générée par le besoin à la fois de nourriture et d'un partenaire pour s'accoupler. Je dirais que la relation d'amour entre l'animal et son environnement – y compris les autres créatures qui y vivent – est de même ordre que l'amour que peut éprouver une personne pour sa maison ou son pays natal. Certains animaux, comme les oies et les cygnes, qui choisissent leur partenaire pour la vie, lui sont si attachés que sa mort peut entraîner leur propre mort. Peut-on sérieusement mettre en doute le pouvoir de l'amour ou l'effet dévastateur de sa perte ?

Quel est le lien entre l'amour et la foi ? Un animal a-t-il la foi ? La réponse à cette dernière question dépend de notre compréhension de ce mot : signifie-t-il pour nous un système de croyances ou une attitude du corps ? La distinction est très importante, car une personne peut très bien proclamer sa foi et se conduire d'une manière qui démentit son assertion. Au chapitre I, j'ai présenté le cas de Ruth qui semblait s'être remise remarquablement bien d'une grave maladie grâce à sa foi dans l'immortalité de l'âme et par le biais du pouvoir de guérison de la Science chrétienne. Cette guérison ne dura cependant pas, et nous pouvons penser que la foi de Ruth vacilla ou s'affaiblit par la suite. Ce n'était pas la foi qui l'avait guérie, mais les mouvements de son esprit, répondant à cette foi. Nous pouvons également affirmer que la force réelle qui agit est l'intensité du sentiment sous-jacent à la foi. Le sentiment peut être la foi ou l'amour, car tous deux sont des impulsions positives et expansives associées à une forte onde ou à un fort état d'excitation. L'amour est une force de guérison efficace, quelle que soit la personne aimée. C'est l'acte d'amour qui a le pouvoir de guérir. De même, ce n'est pas le contenu du système de croyances qui détermine le pouvoir de la foi, mais plutôt la nature même de la foi.

Si l'amour est une sensation corporelle et la foi une attitude corporelle, nous pouvons dire qu'un animal est capable d'aimer et d'avoir la foi. L'attitude qui caractérise sa foi est son acceptation inconsciente de la perfection du monde. Cette perfection est mise en évidence par le fait que l'animal s'adapte à son environnement presque comme s'ils étaient faits l'un pour l'autre. Il y a une proie pour le tigre, de l'eau pour le castor et un arbre avec des noisettes pour l'écureuil. Nous disons que l'animal est adapté à son environnement. Autrement dit, il peut compter sur son environnement, car il est certain de ne pas être trahi. En raison de cette sécurité, l'animal se sent bien dans son environnement naturel. Il n'a pas perdu la grâce.

C'était la condition de l'Homme dans les premiers jours de son existence, avant qu'il ne développât la conscience de soi. A cette époque, sa foi en la nature et la vie était biologiquement déterminée par le flux libre et intégral d'excitation dans son corps. Il faisait partie de l'univers et avait part à l'ordre naturel, et cet ordre était bon. Nous savons que, selon les paroles de Dieu, il était bon, car la Bible dit qu'après avoir créé le monde, « Dieu vit tout ce qu'il avait fait » et il fut satisfait car « cela était très bon ». Le monde dans lequel l'Homme vivait alors est décrit comme le jardin d'Eden. Mais après avoir mangé du fruit de la connaissance, il fut chassé du Paradis et obligé de gagner son pain à la sueur de son front. Il se mit à cultiver la terre et, par cet acte même, perdit tout contact avec la nature.

Le développement de l'agriculture n'aboutit pas à une rupture complète avec la nature ou à une perte de la foi. Il induisit cependant des changements dans le rapport de l'Homme au monde. L'Homme n'était plus une simple créature de la terre qui, comme les autres, était animée par un esprit vital qui devait être respecté ; il était une créature différente, qui était spéciale et supérieure. Il reconnaissait néanmoins qu'il avait encore besoin de la nature, de la terre pour en produire les fruits. Il sentait l'existence d'un pouvoir supérieur à tous ceux qu'il avait connus jusque-là et qu'il en était tributaire pour subvenir à ses besoins. Il pouvait solliciter ce pouvoir par les sacrifices et les offrandes. Les rites accompagnant cette pratique devinrent le système de croyances qui donna corps à sa foi. Il inventa des dieux et des déesses qu'il adora pour concrétiser ce pouvoir. Il les représenta sous une forme humaine – la sienne – ce qui était naturel, et ressentit par-là même une affinité avec eux. Dans la mesure où il avait un pouvoir créateur en lui, l'Homme devint, lui aussi, semblable à Dieu. Il appela « âme » ce pouvoir et le considéra comme divin et immortel. Les grandes religions occidentales sont fondées sur cette vision de l'univers. La religion est l'instrument humain de la foi, que ce soit l'animisme de l'Homme primitif ou les religions complexes de l'Homme moderne.

Il est intéressant de noter que les religions orientales ont gardé plus de croyances animistes que les religions occidentales. Les bouddhistes, par exemple, considèrent que toutes les créatures participent de la nature de Bouddha. Les taoïstes croient en l'harmonie des forces naturelles et insistent sur le besoin de chacun de la connaître. En Occident, le processus d'industrialisation est tel qu'il a miné la foi de la plupart des gens dans l'harmonie de leur monde, dans l'existence d'une force bienfaisante dans l'univers pour assurer leur survie et leur bien-être. Nous, Occidentaux, avons remplacé la foi par la confiance dans la science, qui représente le pouvoir que possède l'esprit humain de vaincre toutes les difficultés qui nous assaillent. Certains sont persuadés que la bonne volonté et l'argent y suffisent. Mais il est naïf de trop faire confiance à la science, car cette confiance repose sur la présomption que l'Homme peut être supérieur à la nature, qu'il peut lui-même devenir un dieu, omnipotent et omniscient. L'Homme rêve même de pouvoir un jour vaincre la vieillesse et la mort. Mais ce rêve n'est pas réaliste, non seulement parce que, en tant qu'élément de la nature, il ne peut concevoir le tout – sa connaissance restera toujours limitée – mais aussi parce qu'un tel rêve fait abstraction du lien entre l'homme et la nature. L'illusion de la supériorité de l'être humain sur la nature détruit le lien qui donne à la vie son sens, son côté stimulant, et sa joie. Elle nie la nature spirituelle de l'homme.

Il serait irréaliste de ma part de passer sous silence le fait que la raison et la science nous ont beaucoup apporté. Aucune personne civilisée ne pourrait revenir à un mode de vie primitif, et ne le ferait. La beauté et le côté exaltant que la culture a apporté à notre vie nous manqueraient et il nous serait quasiment impossible de pouvoir survivre sans les talents et outils que l'Homme a développés tout au long des siècles. Nous ne pourrions pas survivre, car nous avons perdu la sensibilité des premiers Hommes à la nature et la compréhension qu'ils en avaient. Nous n'avons d'ailleurs pas à choisir entre des extrêmes : une dépendance impuissante vis-à-vis de la nature ou une indépendance sophistiquée. Nous avons plutôt besoin d'établir l'équilibre et l'harmonie entre les forces opposées de notre personnalité, entre notre esprit rationnel et notre corps animal, entre notre aspiration à voler et notre besoin d'être enraciné dans la conscience d'une réelle dépendance de la terre dont nous tirons notre nourriture.

Outre le maintien de leurs croyances plus animistes, les Orientaux ont une plus grande foi dans le pouvoir de guérison du corps. La foi en ce pouvoir ne supprime bien sûr pas l'aide apportée par un antibiotique dans la lutte contre une grave infection ; mais la conviction que la foi peut accomplir des miracles n'est pas sans fondement. Dans de nombreux cas, il a été prouvé que la foi avait guéri – apparemment miraculeusement – une maladie dont l'issue était considérée comme fatale. De tels miracles ne sont cependant pas dus à des forces mystérieuses extérieures pouvant pénétrer le corps et le guérir. C'est en grande partie la façon dont la médecine moderne procède, à savoir en intervenant avec des médicaments ou des instruments. La foi opère de l'intérieur, bien que la guérison puisse être provoquée par l'amour. Par son effet d'expansion et de stimulation, l'ouverture à Dieu, par exemple, a des répercussions très positives. Lorsqu'une personne est en contact avec l'universel, ce qui revient à ressentir l'amour de Dieu, son énergie s'accroît au point d'inonder son corps, irradiant à l'extérieur dans un état de joyeuse excitation. Cette irradiation est visible sous la forme d'une magnifique aura autour du corps. Et comme cette excitation ou énergie est la source de la vie, il arrive parfois qu'elle surmonte les effets destructeurs de la maladie.

On peut argumenter que la foi n'a pas toujours cet effet positif. C'est faux, si l'on conçoit la foi comme une réponse du corps à la vie. S'ouvrir à la vie (et par extension à l'amour) accroît l'énergie corporelle et a, par conséquent, toujours un effet positif. La foi doit donc être définie comme un état d'ouverture constante qui permet à l'excitation naturelle de se répandre librement dans le corps.

Nous ne pouvons à la fois nous fermer à la vie et vivre. Par conséquent, tant que nous sommes vivant, nous devons avoir un minimum de foi dans la vie et l'univers, qui est la source de vie. Seule la mort est totalement exempte de foi. Le même raisonnement nous fait conclure que nous ne pouvons nous fermer complètement à l'amour, sinon notre cœur refroidirait et cesserait de battre. Malheureusement, bon nombre de gens sont fermés à la vie et à l'amour en raison de trahisons datant de leur enfance, qui les ont fait se contracter dans leur corps, diminuant leur énergie et leur foi. Ces personnes ont développé des tensions musculaires chroniques comparables à une armure : des tensions qui sont censées les protéger d'autres blessures, mais qui enferment leur corps à l'intérieur d'une carapace semi-rigide. La personne n'est qu'en partie ouverte à la vie ; elle se méfie de tout ce qui tente de pénétrer son dispositif défensif et d'atteindre son cœur. Mais c'est ce dispositif même qui mine sa santé et la rend vulnérable à la maladie.

Le flux d'excitation à la surface du corps est une forme d'expression positive, alors que la tension chronique qui bloque ou restreint ce flux est une forme d'expression négative. L'ouverture est une attitude générant la vie, alors que la fermeture – à quelque degré que ce soit – est une attitude niant la vie. La souplesse est associée à la vie et à l'amour, alors que la rigidité chronique est associée à la mort et à la haine. La haine, tout comme la mort, rend une personne froide et dure. Ces traits négatifs, qui sont directement liés à des traumatismes subis pendant l'enfance, perdurent pendant la vie adulte sous la forme d'une peur de lâcher prise, de s'abandonner à son corps, de perdre le contrôle.

L'esprit humain est continuellement à la recherche de sécurité. Ce qui menace le plus cette sécurité est la nature, c'est-à-dire la propre nature de l'Homme et les vicissitudes des forces naturelles qui l'entourent. Comme il ne peut jamais conquérir complètement la nature, il est constamment en lutte avec elle. Cette lutte, qui se reflète dans la lutte entre l'ego et le corps, enlève à l'Homme la paix spirituelle dont il a besoin pour connaître la joie de vivre. Seuls les petits enfants et les animaux sauvages connaissent cette joie, que Dostoïevski a décrite comme étant un don de Dieu. La lutte entre l'ego et le corps est plus intense chez les personnes névrosées que chez les personnes saines. Elle prend souvent la forme d'une tentative de conquérir le pouvoir, le succès, l'estime de soi ou l'amour.

Les personnes profondément religieuses échappent à cette lutte en raison de leur foi en Dieu. Quiconque est persuadé que sa vie est entre les mains de Dieu et que tout ce qui arrive est voulu par lui n'éprouve pas le besoin de lutter. Il se peut que cette personne ne soit pas heureuse, mais abandonner l'idée qu'elle peut contrôler la vie ou la nature lui donnera au moins la paix de l'esprit. L'ego ayant lâché prise, on peut s'abandonner au flux joyeux de vie et de sensations dans son corps. Chez un peuple dont la culture est fondée sur le pouvoir de l'esprit, une religion qui exige la renonciation à l'ego agit comme un antidote au narcissisme inhérent à cette culture.

Les religions orientales n'ont pas de dieu anthropomorphe qui soit omnipotent et omniscient. La paix spirituelle est liée, en Orient, à l'acceptation du concept de destin. Bien que l'individu agisse par lui-même, la vie n'est pas considérée comme étant entièrement entre ses mains. On est impuissant face au destin, il est donc inutile de lutter.

Qu'on se soumette à la volonté de Dieu ou au destin, on renonce pareillement à lutter pour changer ses conditions de vie. Cette pensée est à l'opposé de la croyance moderne au progrès. Bien sûr, de grands pas ont été faits pour procurer à un plus grand nombre la possibilité de s'exprimer individuellement et de vivre dans un plus grand confort matériel. Mais ces améliorations n'ont pas été suivies par une plus grande paix spirituelle. Tout au contraire. Les gens sont plus anxieux, plus déprimés et plus insécurisés que jamais. Cela peut sembler contradictoire, mais en soumettant la nature à notre volonté nous nous sommes coupés de nos racines. Quelle que soit l'aide apportée par le progrès, nous devons admettre qu'il est toujours ascendant et s'éloigne de plus en plus de la terre. Dans les pays en voie de développement, les gens se reposent en s'accroupissant. Dans notre culture, personne ne s'accroupit plus et peu de gens se reposent. Nous avons abandonné la marche pour la voiture, et nous sommes encore plus éloignés du sol avec l'avion. Quand nous allons dans l'espace, nous quittons complètement la terre.

C'est à partir du sol que s'élabore une personnalité intégrée, tout comme une maison s'érige sur des fondations. Il n'est pas possible de trouver la sécurité dans une pensée dissociée de ses racines, à savoir les sensations corporelles. Il s'ensuit qu'une pensée n'est juste que si elle l'est par rapport au corps. J'ai récemment fait une expérience qui m'a prouvé la validité de ce concept. Je me suis réveillé un matin éprouvant la sensation la plus agréable que j'aie jamais connue. Une pensée me traversa alors l'esprit : « Si tu es honnête avec toi-même, tu n'as pas peur de la mort. » Cette idée me semblait tellement vraie que je la savais vraie. Je me souvins avoir vu le film *Platoon* la veille au soir. Je ne me souvenais pas d'en avoir rêvé, mais je sentais qu'il avait inspiré cette pensée. Dans le film, les soldats américains tuent non seulement les vietnamiens, mais s'entretuent pour essayer de dénier leur peur de la mort. Reconnaître et accepter cette peur les aurait libérés de cette oppression et les aurait rendus plus humains. Bon nombre de gens ont affronté la mort sans crainte, parce que être fidèles à eux-mêmes était plus important que vivre dans le mensonge. Etre fidèle à soi-même signifie connaître et accepter tous les sentiments qu'on éprouve.

Dans un de mes livres (1), j'ai dit que le problème de l'individu moderne était le narcissisme. Le narcissique ne fait pas confiance à ses sentiments, il ne peut s'accepter car il sent

---

1. Pour une présentation complète de ce problème, voir Alexander Lowen : *Gagner à en mourir : une civilisation narcissique.*

que ce qu'il est n'est pas à la mesure de ce qu'on attend de lui. Nous, qui vivons dans le monde moderne, sommes engagés dans un effort futile d'être différent, d'être supérieur à la nature. Sans la confiance en nous-même, nous ne pouvons avoir confiance dans autrui. Sans la confiance ou la foi en nous-même, nous ne pouvons avoir confiance dans la nature. En fin de compte, comme pendant la guerre du Viêtnam, nous détruisons les autres et nous détruisons nous-même.

Le méchant, dans ce scénario, est toujours l'ego, avec son besoin de contrôler la vie. Bien sûr, l'ego est une force créatrice, mais elle peut devenir destructrice quand elle n'est pas enracinée dans le sol, soutenue par la foi dans le corps et la nature. Sans cette foi, nous sommes obligé de contrôler et d'inhiber nos réactions naturelles et, ce faisant, nous élaborons des tensions explosives dans nos muscles et avons ensuite peur de perdre le contrôle. Une personne qui a la foi n'élabore pas de tensions explosives qui, ensuite, nécessitent la répression en raison de leur potentiel destructeur ; elle n'a donc pas peur de perdre le contrôle. Ayant foi dans la vie, elle permet le libre flux de ses impulsions naturelles, les modifiant uniquement pour s'assurer que leur expression est correcte, comme nous allons l'exposer dans le chapitre qui suit. Alors la perte de contrôle, telle qu'elle se produit dans l'orgasme, les danses soufies ou la pratique zen mène à la joie et à l'accomplissement, c'est-à-dire au sentiment d'une spiritualité corporelle.

12

L'esprit gracieux

Nous l'avons déjà vu, la foi en la nature est le fondement de l'essence de l'animal, l'essence de sa spiritualité. La spiritualité humaine est d'un ordre supérieur dans la mesure où elle requiert que l'ego soit aussi intégré dans la foi. Un ego bien intégré nous permet d'accéder à l'état de grâce, de nous élever du niveau de la spiritualité animale au niveau de la spiritualité humaine.

La relation entre l'ego (ou esprit) et le corps est complexe. L'existence même de la volonté implique que nous pouvons agir à l'encontre de nos désirs corporels. Un acte de cet ordre est positif lorsque quelqu'un est capable de maîtriser sa panique dans une situation dangereuse pour sauver sa vie. Il est négatif quand ce quelqu'un court inutilement un danger et se blesse ou perd la vie. La volonté permet à l'homme d'être créateur ou destructeur, noble ou vil, divin ou diabolique. C'est la raison pour laquelle toutes les religions reconnaissent que l'animal humain doit choisir entre le bien et le mal, entre une bonne action et une action méprisable. Cependant, en dépit du fait que l'Homme a perdu sa grâce il y a longtemps, il n'est pas perdu. Il est perdu seulement s'il préfère l'injuste au juste, le mal au bien. S'il est engagé sur la voie de la vérité, de la décence, de la dignité et de la grâce, il sera en mesure d'être en bonne santé, de connaître la grâce et d'atteindre une haute spiritualité.

De même, il est difficile d'établir le rôle réel joué par le choix dans la vie humaine. En tant que membres de la société, nous sommes obligés d'admettre que chacun a la possibilité de choisir, sinon la société ne pourrait pas punir la transgression des lois sociales. Mais quand j'analyse l'attitude de mes patients, je suis obligé de conclure qu'ils ont été déterminés par leur enfance et qu'ils ont subi la plupart de leurs expériences. L'enfant ne choisit pas de perdre la grâce, pas plus qu'il ne perd son innocence suite à une erreur de jugement. On lui fait au contraire quitter un état où l'ignorance équivaut à la félicité pour l'amener à un état de conscience sociale. Parents et professeurs inculquent sans cesse à l'enfant les principes de la société, c'est-à-dire ce qui est acceptable et ce qui ne l'est pas. Si ces règles de conduite sont en accord avec les pratiques de la communauté, si elles ne sont pas arbitraires ou imposées, elles n'affecteront pas sérieusement la personnalité de l'enfant. Puisque les humains sont des êtres sociaux, la plupart préfèrent vivre et agir selon ces règles, même si elles portent atteinte à leur liberté personnelle.

Toute religion a pour objectif d'aider l'Homme à se résigner au conflit inévitable entre les règles sociales et sa liberté. Les adeptes des religions monothéistes remettent leur bien-être entre les mains de Dieu et abandonnent leur égotisme et leur foi en son propre pouvoir. Les religions orientales prônent aussi l'abandon de l'égotisme et du pouvoir. Dans le bouddhisme et l'hindouisme, chacun doit faire fusionner son moi individuel avec le moi universel en s'identifiant avec Brahma ou Bouddha. La philosophie chinoise cherche à établir un équilibre entre les deux grandes forces de la nature, le yin et le yang. Dans toutes les religions, l'humilité en est un élément clef.

Pour celui qui ne se retire pas du monde, les bonnes actions, une vie juste et une conduite morale sont les seuls moyens qui lui permettent de connaître la paix de l'esprit et une authentique vie spirituelle. J'ai utilisé le terme de *grâce* tout au long de ce livre pour décrire l'attitude qui recouvre ces valeurs. Mon objectif, dans ce chapitre, est de souligner que ma démarche a un fondement biologique. Ma thèse est que toute personne gracieuse naturellement a une beauté naturelle.

Les animaux vivent dans un état d'intégrité inconsciente. Ce concept signifie que l'animal agit selon ce qu'il sent être juste ou agréable. C'est aussi la manière de vivre et de fonctionner des jeunes enfants. Mais, en raison du développement de l'ego et du comportement social – bon ou mauvais – tel qu'il nous est enseigné par nos parents, nous ne pouvons plus laisser l'intégrité inconsciente guider nos actes. En tant qu'êtres sociaux, nous ne pouvons agir comme bon nous semble. Même dans certaines sociétés animales, les jeunes doivent apprendre le code de conduite déterminant les relations au sein du groupe, code qui permet de réduire les conflits et qui favorise la coopération. Dans cet objectif également, les sociétés humaines ont besoin de codes ; mais ils doivent être plus élaborés, car l'organisation sociale y est nettement plus complexe que celle des sociétés animales. Il faut par conséquent suppléer l'intégrité inconsciente par une intégrité consciente, c'est-à-dire par des principes. Mais les principes que nous adoptons pour guider notre vie ne doivent pas violer l'intégrité inconsciente de notre corps, sinon nous aurons à faire face à de nombreuses difficultés.

Une personne gracieuse est une personne à principes ; sa conduite n'est pas dictée par les circonstances, mais est au contraire conforme à un mode de comportement déterminé par un sens profond du bien et du mal. Ce code peut inclure des commandements moraux établis par la société qui sont en accord avec le sentiment individuel de la propriété. Certains commandements inscrits sur les tables de la Loi de Moïse – ne pas commettre d'adultère, ne pas porter de faux témoignage contre son prochain, ou encore honorer son père et sa mère – semblent justes à la plupart des gens. De même, le principe de l'honnêteté est en parfait accord avec notre sens de l'intégrité. Wilhelm Reich, qui fut mon maître, me dit un jour : « Lowen, si vous ne pouvez pas dire la vérité, gardez le silence. » Notre choix est conscient lorsque nous décidons de ne pas tirer profit de quelque chose ou de quelqu'un par malhonnêteté, quand bien même la tromperie serait payante. Nous choisissons la vérité parce qu'elle favorise l'intégration de l'ego et du corps, de l'esprit conscient et des impulsions inconscientes.

Une personne sans principes agit en fonction de ses désirs courants et de ses besoins immédiats. Ce genre de comportement est typique de la personnalité narcissique qui est l'unique objet de ses pensées. Il est également caractéristique de l'attitude infantile. Contrairement aux enfants, les adultes sont en général capables de différer la satisfaction d'un désir ou d'un besoin. Un enfant qui a faim veut manger immédiatement. Par conséquent, il mangera n'importe quoi. Un adulte est, lui, capable de supporter la faim jusqu'à ce que la nourriture et le repas lui conviennent. L'adulte qui se comporte en adulte éprouve un plus grand plaisir que celui qui agit comme un enfant.

La capacité de différer une satisfaction quelconque – ou son corollaire, la capacité de supporter la douleur ou la frustration – est une fonction de l'ego. Chez un enfant, l'ego ne s'est pas encore développé au point de pouvoir contenir ses sensations, sentiments et impulsions. Ce développement s'effectue en grande partie entre la troisième et la sixième année, quand la personnalité se loge dans les organes génitaux. La pulsation énergétique qui établit la prééminence génitale établit aussi l'hégémonie de l'ego. Dans la personnalité narcissique, cette évolution est interrompue par le caractère incestueux de la situation œdipienne, qui force la personne à se dissocier de sa base sexuelle. Comme nous l'avons vu, ce clivage rompt l'intégrité de la personnalité et détache l'ego de sa base corporelle. Se contenir devient difficile, voire impossible, et la personne est alors incapable de s'établir des principes de vie.

En empêchant la satisfaction immédiate de l'impulsion, ces principes accroissent le plaisir et la satisfaction. Comme nous l'avons vu pour la relation sexuelle, la satisfaction est plus grande quand le corps entier ou la personne entière est excité(e). Contenir l'excitation initiale permet d'intensifier la sensation. Le paroxysme fait participer le cœur, et la sensation devient un sentiment d'amour. Autrement dit, l'amour pour le partenaire est essentiel pour le relâchement orgastique complet. Ce principe est valable pour toute autre activité. Seule la participation du cœur permet de connaître un sentiment complet de satisfaction et d'accomplissement.

Mais les principes de vie sont importants pour une deuxième raison. Prenons le cas d'une personne éperdument amoureuse de l'époux/épouse d'un ami ou d'une amie. Si elle considère qu'une liaison pourrait blesser son ami(e), elle sera incapable d'établir cette liaison. S'engager dans une telle relation dans ces circonstances gâcherait son plaisir. Il est tout à fait possible de trouver des raisons pour justifier une telle liaison : le ménage peut ne pas être heureux ; on pourrait aussi prétendre que l'amour doit faire fi de toute autre considération. Mais une personne à principes agira en fonction de ces principes ; agir autrement signifierait ne pas *sentir* de façon juste. Cela engendrerait un clivage de sa personnalité, qui d'un côté dirait oui et d'un autre non. Comme nous l'avons vu, un tel clivage détruit l'intégrité de la personnalité.

L'absence de principes est manifeste chez les « hommes à femmes » et chez les femmes volages. Chez ces dernières, l'activité sexuelle est imputable à une absence de sensations et est une tentative de devenir une personne sexuellement vivante. Ce genre de femmes dit avoir cessé de se comporter ainsi en acquérant une sensibilité sexuelle. Un homme qui court constamment les femmes pense avoir une grande vitalité sexuelle, mais c'est tout le contraire. Ne pouvant pas contenir son excitation, il ne s'accomplit pas dans l'acte sexuel et est contraint de courir sans cesse les femmes avec le vain espoir de se réaliser à travers le sexe. La joie du sexe n'est donnée qu'à ceux qui ont le cœur plein d'amour et qui partagent cet amour avec un partenaire. Que les personnes aux mœurs légères soient considérées comme n'ayant pas de principes n'a rien d'étonnant.

En bioénergie, le terme d'intégrité décrit le flux d'excitation ininterrompu allant de la tête aux pieds et vice versa. Nous avons vu que ce flux est interrompu chez bon nombre de gens par des tensions qui coupent la tête du thorax et le thorax du pelvis. Ces clivages sont, bien sûr, des phénomènes de surface, non pas internes, puisque dans l'organisme le cœur est relié par les artères et les veines à toutes les parties du corps. Mais une personne sujette à ces tensions n'a pas conscience de son unité essentielle. Au cours de la thérapie, quand le flux d'énergie est rétabli, elle s'écrira soudain : « Je me sens complètement unifié(e). » Le principe d'intégrité est fondé sur la sensation « d'être d'une seule pièce ». En l'absence d'une telle unité, une personne peut ne pas *sentir* la différence entre le bien et le mal, bien qu'elle puisse avoir la conscience du bien et du mal.

Chez certaines personnes, la perte de l'intégrité est si grave qu'elles n'ont plus de scrupules. La maxime qui les guide est : « Tout est permis. » Dans la littérature psychiatrique, ces personnes sont définies comme personnalités narcissiques (1). Sous sa forme extrême, ce type de personnalité est caractérisé par une absence de conscience qui aboutit à un comportement dit *psychopathe* ou *sociopathe*. Le psychopathe est incapable de distinguer entre le vrai et le faux et énoncera un mensonge flagrant tout en étant convaincu de dire la vérité. Le sociopathe ne sait pas distinguer le bien du mal. Ce sont deux types de narcissisme extrêmes, mais tous les narcissiques sont plus ou moins affectés dans leur intégrité par le clivage.

---

1. Alexander Lowen : *Gagner à en mourir : une civilisation narcissique.*

Le narcissisme est l'affection la plus courante de l'homme et de la femme modernes. Le narcissique vit derrière une façade censée, d'une part le faire accepter et admirer et, d'autre part, compenser et dénier des sentiments profonds d'infériorité, d'insuffisance, de tristesse et de désespoir. Une bonne illustration de ce comportement est le mâle qui fait du body-building pour se donner une image de virilité, de force et de pouvoir. Dans la plupart des cas, cette façade de macho cache un enfant perdu et effrayé. Le clivage entre l'apparence d'homme musclé et ses sentiments profonds de solitude rompt l'intégrité de sa personnalité.

Le narcissisme n'est cependant pas une maladie que l'on a ou que l'on n'a pas. Dans une culture comme la nôtre, fortement orientée vers des valeurs de l'ego telles que le pouvoir et le succès, la plupart des gens sont un peu narcissiques. La vraie solution réside dans la mise en contact d'une personne avec ses sentiments (son cœur) et son corps. L'intégrité de la personnalité est la mesure du contact établi.

Il ressort clairement de la discussion précédente que l'enseignement de principes moraux dans le cadre d'un système éducatif n'est guère efficace. Les principes doivent avoir pour fondement des sentiments qui ne peuvent être enseignés. Selon moi, l'éducation morale – même celle donnée par les parents – n'a de sens que dans la mesure où ces derniers incarnent les principes qu'ils enseignent et les appliquent dans leurs rapports avec l'enfant. Il n'est pas possible d'enseigner l'amour, l'honnêteté, le respect, la dignité ou toute autre vertu uniquement avec des mots, sans donner l'exemple. Nous ne pouvons pas non plus enseigner l'intégrité si nous ignorons que c'est un phénomène corporel qui se manifeste dans notre façon de nous tenir debout, de nous mouvoir et dans notre comportement. Nous devons comprendre que l'esprit n'est pas aussi puissant, qu'aucun enseignement ne peut permettre à un aveugle de voir la vérité. Pour être plus précis, nous dirons qu'aucun enseignement ne peut permettre à une personne au corps clivé par les tensions de sentir si elle agit bien ou mal. La conviction que l'esprit contrôle totalement les actes est le produit d'un esprit qui n'est pas pleinement relié au corps et à ses sensations.

Il est néanmoins nécessaire de formuler et d'enseigner des principes éthiques qui donnent aux êtres humains une ligne de conduite. Mais pour être efficace, cet enseignement doit reconnaître le rôle fondamental du corps et des sensations en toute question d'ordre moral. Pour cela, il est nécessaire de souligner que tout comportement moral est censé développer les bons sentiments de l'individu autant que le bien-être de la communauté. Si, comme je le pense, un but majeur de la vie est la grâce, nos programmes d'éducation doivent viser l'obtention de la grâce, pas l'acquisition des connaissances. Nous ne devons pas nous dégrader et croire que le savoir et le pouvoir qu'il octroie peuvent mener à une vie agréable. Le manquement à vivre selon des principes qui incarnent des standards éthiques élevés nous prive du plus beau cadeau que la vie a à nous offrir : la joie. Sans l'intégrité physique et psychologique, nous ne pouvons connaître le plaisir profond ni les sensations agréables qui accompagnent le mouvement gracieux, ni expérimenter l'extase spirituelle que connaît une personnalité gracieuse. Sans ces qualités, nous vivons dans une prison obscure, faite de peur, de méfiance et de haines, aussi puissant et riche que nous puissions être.

Il n'est pas facile de résister à l'appel du pouvoir ou au désir. Il nous arrive parfois à tous de leur céder et de trahir la confiance des autres. Malheureusement, cela peut aussi se produire entre un patient et son thérapeute, quand ce patient est une femme désespérée, le thérapeute un homme insatisfait, et quand ils sont tous deux à la recherche de l'amour. Dans l'intimité de la situation, où l'un des deux ouvre son cœur à l'autre, les transports sexuels parfois éveillés peuvent aboutir à des relations sexuelles. Presque tous les thérapeutes souscrivent à un code déontologique où ce comportement est défini comme non professionnel et contraire à la déontologie. Même si la patiente est une adulte consentante, le thérapeute a la responsabilité de la garantir de tout acte qui violerait sa confiance et porterait préjudice à leur relation thérapeutique. C'est un principe moral que tout thérapeute doit respecter, quels que soient ses sentiments, car nous ne pouvons savoir si une action est juste ou non tant qu'il n'y a pas eu passage à l'acte. Nous ne pouvons pas non plus nous fier à notre seule raison, car le diable peut nous influencer tout autant que Dieu. La raison et le sentiment doivent s'unir en des principes qui nous font mener une vie saine et convenable.

Avoir des principes et y adhérer est dans l'intérêt de chacun et cette attitude peut être spirituelle au plus haut point. Les êtres humains peuvent tenter de surpasser l'amour de Dieu pour l'Homme en s'aimant les uns les autres. Mais Dieu n'est pas seulement, il est aussi omniprésent. Il est en chacun de nous. Des mystiques de toutes confessions ont écrit que Dieu vit dans le cœur humain (2). Quand nous aimons, nous sommes en communion avec Dieu. Manifester cet amour permet souvent d'établir le contact avec autrui. Un sourire gracieux peut transporter le cœur d'autrui à la manière d'un rayon de soleil. Un acte gracieux peut stimuler l'esprit et ouvrir l'âme à la beauté de la vie. Une personne gracieuse accepte les autres non par obligation, mais par amour. Cela ne signifie pas qu'elle ne se met jamais en colère, mais plutôt que sa colère est comme celle de Dieu, directe et brève. Après une telle tempête, le ciel est propre et serein et le soleil brille ardemment.

Le terme d'« âme » désigne le système énergétique qui anime tout organisme. Si nous sommes plein de haine, notre cœur se contracte et notre âme se flétrit. Avec la grâce, notre cœur et notre âme grandissent. L'éclat d'un sourire gracieux provient d'un cœur rempli de bons sentiments. La chaleur d'une personne gracieuse est due à son intense passion pour la vie et à son absence de rigidité. On ne peut être gracieux et inhibé en même temps. Une personne gracieuse est suffisamment patiente pour établir une relation sincère et chaleureuse avec tous ceux qui entrent en contact avec elle.

---

2. Alexander Lowen : *Le Cœur passionnément : symbolique et physiologie de l'amour.*

La personne gracieuse a également le sentiment qu'elle fait partie de quelque chose de plus vaste et plus puissant qu'elle. Je me réfère bien sûr à Dieu et à la foi dont nous avons parlé au chapitre XI. En l'absence d'une telle force, y aurait-il quoi que ce soit pour réfréner l'égoïsme et l'avidité de l'Homme qui considère que la terre et ses habitants sont là pour être exploités et satisfaire ses désirs à lui ? En cédant à son avidité, il détruit le fondement même de son existence. Nous connaissons tous les problèmes de la pollution de l'air, de la terre, des eaux, ainsi que ceux de la disparition de forêts entières et de l'extinction de nombreuses espèces d'animaux sauvages. Cette activité destructrice s'est accompagnée d'un effondrement des valeurs morales et d'une détérioration de la santé et de la vitalité humaines. La dépression est devenue endémique en nos sociétés occidentales et nombreux sont ceux qui ressentent le besoin de se tourner vers une drogue, ou autre chose, pour pouvoir continuer à vivre.

En Occident, la vie s'est de plus en plus laïcisée. Le sacré n'est plus qu'une série de croyances et de symboles qui, ainsi réduits, continuent néanmoins à avoir un énorme pouvoir sur la vie de certains. Mais les croyances et symboles sont des processus mentaux qui ne tiennent pas compte du corps. Dans le monde occidental, ce qui touche le corps est laïque, profane et matériel. Cela renforce le clivage entre le corps et l'esprit, clivage qui est à la racine de la détresse émotionnelle de l'Homme.

Conclusion

Ce livre avait pour objectif de montrer que le corps n'est pas simplement un objet matériel qu'on peut facilement comprendre en termes physiques. Il n'est pas le réceptacle de l'esprit, mais l'esprit fait chair. Comme nous l'avons vu, l'esprit réside dans le protoplasme, où il se manifeste dans l'aptitude d'un organisme à réagir à son environnement de manière à assurer la continuité de la vie. Cela a été l'histoire de la vie sur la terre depuis plusieurs millions d'années.

A mes yeux, c'est cet esprit – avec l'importance qu'il donne au savoir et à la raison – qui est profane et le corps qui est sacré. Même si nous pensons pouvoir expliquer les mécanismes du corps, c'est le mystère de l'amour qui est au centre. Le cœur de l'Homme, siège de l'amour, est également le temple de Dieu dans l'être humain.

Je fonde ma théorie sur l'aptitude à sentir le cœur et l'univers résonner à l'unisson. La pulsation de la vie se produit dans chaque cellule et dans chaque organe corporels, mais elle est plus intense dans les battements du cœur et est ressentie plus vivement dans le sentiment d'amour. J'ai décrit l'organisme vivant comme étant constitué d'excitations contenues, ayant le cœur pour centre. L'excitation monte et déborde de l'organisme quand on est amoureux, et c'est à ce moment qu'on ressent sa relation avec l'univers. L'amour est le vrai sentiment spirituel. Je suis convaincu que la plupart de mes lecteurs ont parfois ressenti ce sentiment dans leur vie.

Mais pourquoi seulement « parfois » ? Etonnamment, je répondrai que c'est parce que nous ne nous aimons pas assez nous-même. L'amour de soi ne signifie pas adoration de soi, ce qui est du narcissisme, un état auquel manque la stimulation de l'amour. S'aimer soi-même signifie ressentir pleinement l'excitation de la vie et répondre à cette excitation dans toutes ses manifestations possibles. S'aimer soi-même signifie aimer la vie et toutes les créatures vivantes. On ne peut aimer quelqu'un d'autre si on ne s'aime pas soi-même. Sans amour de soi, on prend, on ne donne pas.

L'amour de soi nous permet de connaître les trois formes de grâce définies par Aldous Huxley, telles qu'elles figurent dans la préface de ce livre : la grâce animale, c'est-à-dire l'intégrité préservée par le libre flux d'excitation dans le corps ; la grâce humaine, en vivant d'après le principe : « Sois fidèle à toi-même » et en l'appliquant aux autres par notre comportement gracieux ; et la grâce spirituelle, en étant relié à un ordre supérieur. C'est seulement en intégrant notre personnalité sur ces trois plans que nous pouvons accéder à la transcendance que nous appelons « état de grâce » – l'authentique spiritualité du corps.

Table des matières

L'impression
de cet ouvrage a été réalisée
par CLERC S.A.
18200 SAINT-AMAND - Tél. : 48-96-41-50
pour le compte des EDITIONS DANGLES
18, rue Lavoisier - 45800 ST-JEAN-DE-BRAYE

Dépôt légal Editeur n° 1846 – Imprimeur n° 5117

Achevé d'imprimé en Mars 1993.

"**Grand angle** / Psycho-épanouissement" :

Will PARFITT :

COMMENT ABATTRE NOS MURS INTERIEURS. L'élimination de nos blocages.

Traduit de l'anglais par Caroline Van Landschoot
Format 15 x 21 – 288 pages – illustré.

Chacun a en soi des barrières – ou "murs intérieurs" – qui toutes nous entravent dans la réalisation de notre vrai et plein potentiel ; elles peuvent être issues de notre enfance, de notre éducation, d'expériences passées, de notre relation aux autres ou nous pouvons tout simplement les dresser nous-même, inconsciemment. L'auteur envisage ici le processus de transformation et d'évolution personnelles sous l'angle d'une chute progressive de ces murs – ou blocages.
La démarche proposée est ordonnée, progressive et prend en compte l'être humain dans sa totalité. Elle nous apprend d'abord à nous situer par rapport au monde extérieur, à nous vivre à la fois séparés de ce monde et en relation avec lui. Ensuite, nous sommes conduits à l'exploration de notre être dans ses différents aspects ou couches et dans ses facultés essentielles : conscient et inconscient, mémoire, désirs, perceptions, imagination, corps, attachements, volonté et pouvoir, intuitions, leurs, énergies subtiles... afin de nous constituer un canevas solide de réflexion et d'expérience. Puis nous nous tournons à nouveau vers le monde extérieur pour intégrer nos acquis dans la double relation extérieur/intérieur et intérieur/extérieur.

Le fondement théorique est ici psychologique (psychosynthèse, gestalt, psychologie transpersonnelle surtout) et ésotérique. Will Parfitt (psychothérapeute et cabaliste) est spécialiste de l'un et l'autre domaine, et son travail s'appuie sur des connaissances sûres et étendues. Sa vision de l'homme et de l'univers est très actuelle, rejoignant également celle qui a cours chez les nouveaux scientifiques. Les nombreux exercices – de progression judicieuse – sont conçus avec soin et plaisants à exécuter. L'ensemble est capable de transformer radicalement notre vie.

EXTRAIT DE LA TABLE DES MATIERES :

Dans la même collection :

Patrick ESTRADE :

LE COUPLE RETROUVÉ.
Les mésententes conjugales et leurs remèdes.

Format 15 x 21 ; 352 pages ; illustré.

Un couple épanoui et harmonieux : rien de tel pour nous faire progresser dans la vie à pas de géant. Mais un couple en crise, ça nous démolit, nous anéantit, nous ruine l'âme et le cœur. Lorsque notre couple *s'emmêle* comme les algues autour d'une hélice, arrive un moment où *tout bloque :* travail, obligations quotidiennes, caractère, vie sociale... tout s'en ressent. **Il faut alors savoir s'arrêter et faire le point.**
Dans le langage simple et accessible à tous qui a fait le succès de ses précédents ouvrages, Patrick Estrade (psychologue et psychothérapeute) nous guide dans le dédale de nos échecs conjugaux, de nos erreurs, de nos méprises. Sans concession aucune ni moralisme, il nous montre comment analyser nos faiblesses personnelles qui contribuent à fragiliser notre vie de couple, comment analyser nos habitudes, comportements et réactions, nos pratiques erronées pouvant dégénérer en *mésententes,* voir même en *affrontements* puis en *rupture.*
C'est un véritable tour d'horizon de nos ressources humaines : quelles sont nos attitudes face à l'amour, à la sexualité, à l'*Autre,* nos problèmes de communication, la contribution des enfants et des parents dans ces crises, nos difficultés à affronter les différents problèmes existentiels qui se présentent, nos idéaux de vie... tout est ici abordé et étudié sur le ton de la franchise et de la simplicité.
Bien entendu, **face à tous ces problèmes des remèdes existent.** Ils sont ici détaillés d'une manière concrète et applicable par tous. Les « situations de crise » dans le couple sont inévitables ; encore faut-il savoir comment en sortir. C'est le but de ce guide pratique.

EXTRAIT DE LA TABLE DES MATIERES :

Dans la même collection :

Bruno COMBY :

STRESS-CONTROL.
Guide pratique pour vous libérer du stress par les méthodes naturelles.

Format 15 x 21 ; 240 pages ; illustré.

« Je suis tendu », « Je vais craquer », « J'ai les nerfs à fleur de peau »... Le stress est le mal du siècle et le stress-control une méthode simple et naturelle pour vous en libérer. Il n'existe pas de remède-miracle contre le stress, mais il existe une façon de vivre, en harmonie avec soi-même, avec les autres et avec l'univers tout entier.
Le stress-control donne des ailes à votre santé et permet l'épanouissement de vos potentialités psychiques et spirituelles insoupçonnées, tout en développant votre **capital de vitalité.**
Ce livre vous dévoile les **causes profondes du stress :** mauvaise alimentation, non-respect des rythmes biologiques, sédentarité excessive, abus d'excitants et de médicaments, mauvaise organisation de son temps de vie, absence de pensée positive et de vie intérieure...
Les remèdes existent ; ce guide pratique vous les décrit en détail :
– Comment **prévenir le stress :** alimentation vitalisante, activité physique, respect des rythmes biologiques, repos, pensée positive et vie intérieure, optimisme et confiance...
– Comment **faire face au stress** lorsqu'il est installé : régime alimentaire de désintoxication, méthodes naturelles de revitalisation (hydrothérapie, yoga, massages, do-in, musicothérapie), relaxation, détente, respiration, méthodes d'épanouissement psychique et spirituel (méditation, visualisation, art, prière...).
L'ouvrage se termine par un exemple concret de **cure antistress de 8 jours,** très efficace et qu'il suffit de suivre à la lettre.

EXTRAIT DE LA TABLE DES MATIERES :

Dans la même collection :

Yvonne SENDOWSKI :

GYMNASTIQUE DOUCE.

250 exercices d'étirement pour retrouver l'harmonie de votre corps.

Format 15 x 21 ; 320 pages ; abondamment illustré (500 croquis).

La gymnastique douce, très connue en Amérique, Allemagne et Israël, également dénommée antigymnastique, a été introduite en France dans les années 1950 et connaît aujourd'hui un développement spectaculaire.
C'est essentiellement une technique de prise de conscience du corps par des postures d'étirement et des exercices d'automassage interne (muscles sur os) qui rendent aux tissus musculaires toute leur élasticité et redonnent au corps son entière mobilité permettant ainsi de retrouver tout son dynamisme. Il s'agit, avec calme et douceur, de faire ressentir son corps par des mouvements très précis, amenant la concentration à volonté ainsi que la détente physique et psychique. C'est la restructuration de l'être dans son intégralité corps/esprit, sans intellectualiser mais en vivant l'expérience et en se découvrant.
Les kinésithérapeuthes y ont de plus en plus recours en prolongement de leurs soins ; les danseurs y étudient la décomposition de leurs mouvements : les gens fatigués retrouvent leur tonus et apprennent à économiser leur énergie ; les personnes stressées et énervées recouvrent calme et détente, les angoissés leur sérénité.
Ce livre essentiellement pratique, décrivant plus de 250 exercices illustrés de 500 dessins explicatifs, permet au lecteur d'entreprendre lui-même, à domicile et à son rythme, cette véritable thérapie des profondeurs, source de régénération qui rétablit les connexions entre le cerveau et tout le corps et dont les effets principaux sont : rééquilibrage du squelette, mobilisation des articulations, soulagement de la colonne vertébrale et du dos, élimination des tensions, meilleur sommeil, perte de poids, meilleure oxygénation du sang, décongestion des organes internes, drainage des énergies vitales, affinement des sens, découverte de soi, etc.
Ne subissez plus votre existence, mais prenez-vous en charge vous-même dès aujourd'hui !

EXTRAIT DE LA TABLE DES MATIERES :

Conseils généraux - Mises en garde - Comment pratiquer - L'harmonie corps/esprit...

I. **TRAVAIL SPÉCIFIQUE SUR L'UNE OU L'AUTRE PARTIE DU CORPS.**
Les poumons - L'importance du diaphragme - Comment respirer - Le contrôle des abdominaux - La respiration nasale des yogis - Le Yin et le Yang - Prise de conscience...
La colonne vertébrale - Votre schéma corporel - Etirement de base - L'ouverture du bassin - Etirement profond - Gymnastique statique - Comment vous lever...
Nuque et tête - Allez de l'avant ! - Pour vaincre la pesanteur...
Les pieds - La base du corps - Le massage « Aspirine » - Détente express - Marcher...
Les yeux - Soins quotidiens - Relaxation oculaire - Convergence - Automassage...

II. **ATTITUDES DANS LA VIE QUOTIDIENNE.**
Vivre le moment présent - Etirez-vous ! - L'éveil et le lever - Pendant la toilette - Le mal au dos - Le modelage de votre personnalité - Comment s'asseoir - La détente - Pour vous tenir droit - La meilleure façon de marcher - Les gestes qui ne font plus mal - Le sport et votre dos - Comment poser votre corps...

III. **23 LEÇONS DE GYMNASTIQUE DOUCE.**
250 exercices illustrés (500 schémas) décomposés en 23 leçons.

IV. **ANNEXES.**
Quelques exercices avec partenaire - Discipline ou relaxation ? - Détente express.

Dans la même collection :

Docteur André PASSEBECQ :

PSYCHOTHÉRAPIE PAR LES MÉTHODES NATURELLES.

Comment vous libérer de : fatigue, stress, dépression, insomnie, angoisse, troubles psychologiques et sexuels, anxiété, chocs émotionnels, neurasthénie, surmenage, complexes, agressivité, tensions, etc.

Format 15 x 21 ; 376 pages ; illustré.

Notre société fabrique ou sécrète la folie :
– 100 millions de personnes dans le monde sont atteintes de « dépression » (Dr Norman Sartorius, O.M.S.) ;
– 30 % des étudiants français souffrent de troubles psychologiques ;
– 700 000 familles françaises sont confrontées au problème des handicapés physiques et mentaux, nombre ne cessant d'ailleurs de s'accroître ;
– sur 2 000 cadres dépassant la quarantaine (et après élimination des malades déjà reconnus), 9 sur 10 présentent une légère anomalie ou une affection débutante ;
– plus d'un demi-million d'enfants sont des débiles mentaux.
Comment sortir de cette situation dramatique ?
Les thérapeutiques actuelles – méthodes médicales palliatives et suppressives – s'avèrent incapables d'enrayer l'escalade de ces souffrances... et de ces dépenses.
Il est grand temps que les méthodes naturelles de santé décrites dans ce livre entrent en jeu, soient reconnues et largement répandues. La santé mentale est indissociable de la santé organique, et les méthodes orthobiologiques ici présentées – exemptes de drogues (sauf exceptions rarissimes) – par des techniques **non traumatisantes ni mutilantes,** adaptées à chaque individu, apportent bien souvent un recours **préventif** et **curatif** très sûr... et durable !
Depuis 30 ans, une équipe de scientifiques, d'enseignants et de psychologues expérimente et applique ces méthodes respectant l'intégrité – et la dignité – de l'être humain, en les affinant constamment. André Passebecq vous en donne ici la synthèse et les clés fondamentales vous permettant d'aborder une nouvelle vie psychologique plus équilibrée, plus saine et plus harmonieuse.

EXTRAIT DE LA TABLE DES MATIERES :

Dans la même collection :

Jean SPINETTA :

LE VISAGE REFLET DE L'AME.
Cours pratique de morphospychologie dynamique.

Format 15 x 21 ; 320 pages ; abondamment illustré.

« Connais-toi toi-même et apprends à connaître les autres, et tu connaîtras tous les secrets de l'univers. » Cette inscription sur le fronton du temple de Delphes est toujours d'une grande actualité.
Mais comment trouver le chemin de cette connaissance ? La morphopsychologie (science de la connaissance de l'Ame, c'est-à-dire des pensées et des sentiments de l'être humain par la **forme de son visage**) est l'une de ces voies ; cet ouvrage pratique vous en livre l'accès.
C'est un **livre de synthèse.** Il ne s'agit pas de diviser l'être humain en mille morceaux, mais de trouver ce que tous les êtres ont en commun, les grands principes à l'origine de toute forme, visibles dans le visage.
C'est un **livre dynamique.** Ce qu'est l'être humain à un moment donné n'a pas d'importance. Ce qui compte est ce qu'il peut *devenir* si on l'aide à développer le potentiel qui est en lui.
C'est un **livre de non-jugement.** Cette vision dynamique et humaniste débouche sur la tolérance et l'amour de l'autre, sur la volonté de l'aider en s'en donnant les moyens.
C'est un **livre simple, à la portée de tous.** Il ne s'agit pas d'apprendre par cœur une multitude de données techniques, mais de *comprendre* que tout ce que l'on voit sur un visage a un sens que l'on peut déchiffrer en apprenant à lire ce grand livre de la nature que chacun porte ouvert en lui.
Alors, la formule du fronton de Delphes prend tout son sens. Elle devient une **réalisation intérieure** et l'univers ouvre les portes de ses secrets, permettant à chacun de développer toutes ses potentialités et d'accéder au bonheur profond et véritable.

EXTRAIT DE LA TABLE DES MATIERES :

Dans la même collection :

Marcel ROUET :

LA MAITRISE DE VOTRE SUBCONSCIENT.

La solution de vos problèmes personnels par l'auto-hypnose associée à la pensée créatrice.

Format 15 x 21 ; 376 pages ; illustré.

Ce nouveau livre de Marcel Rouet, l'auteur de *Relaxation psychosomatique,* vous permet de découvrir puis d'exploiter les **immenses possibilités qui sommeillent en vous.** Vous apprendrez d'abord, par l'introspection, à explorer les recoins les plus secrets de votre subconscient, et comprendrez alors certains de vos comportements qui vous déroutent, les raisons profondes de vos inhibitions, de vos frustrations, voire de vos échecs.
L'auteur vous enseigne ici une **nouvelle philosophie de l'existence,** synthèse des lois universelles de la Tradition et des mystiques extrêmes-orientales : c'est la « voie médiane », compromis entre l'austérité, la rigueur et la recherche des joies authentiques répondant aux besoins de notre vie instinctive. Pour la conquête de cet idéal qui répond à nos aspirations les plus nobles sans nous priver des plaisirs de la vie, Marcel Rouet propose de nouvelles techniques d'auto-hypnose qui nous permettent d'ensemencer efficacement notre subconscient de pensées positives et créatrices ; celles-ci cheminent alors irréversiblement dans notre inconscient jusqu'à se réaliser d'une manière tangible, tant sur le plan mental que matériel.
Vous êtes et devenez ce que vous pensez. Cette technique psychologique, applicable par chacun, vous apporte le moyen de :
– développer en vous les puissantes motivations qui assurent de brillantes réussites ;
– déclencher autour de vous les conjonctures favorables qu'on appelle la chance ;
– substituer l'euphorie, l'assurance, la joie de vivre à la morosité, au découragement, à l'anxiété et à la dépression ;
– vaincre la douleur et la maladie ; modeler votre corps ;
– vous endormir à volonté d'un sommeil profond et réparateur ;
– parvenir à un épanouissement complet de votre vie sexuelle et affective ;
– vous initier à la relaxation et à l'infra-hypnose afin d'accéder aux divers états de conscience, jusqu'à la méditation ;
– développer vos facultés intellectuelles, dont la créativité, la mémoire, etc.
Un livre pratique qui vous permet enfin de mieux dominer votre destin, et non plus de le subir passivement.

EXTRAIT DE LA TABLE DES MATIERES :

Dans la même collection :

Alain HOUEL :

COMMENT FAIRE FACE AUX GENS DIFFICILES dans vos relations quotidiennes.

Format 15 x 21 ; 320 pages ; illustré.

Ne vous êtes vous jamais heurté à un patron autoritaire, à des collègues sournois, à un fonctionnaire grincheux, à une belle-mère abusive, à un client hostile, à un mari macho, à un vendeur arrogant, à une épouse geignarde, à des adolescents apathiques, à un voisin jaloux, à un entourage défaitiste... ? Si vous répondez par la négative, c'est que vous habitez une île déserte !
Combien la vie serait plus facile sans tous ces gens « difficiles »... mais ces gens existent et nous les côtoyons tous les jours ! On peut les classer en trois grandes familles : les **agressifs** (hostiles, blessants, sarcastiques, arrogants, narquois...), les **négativistes** (plaintifs, geignards, défaitistes, pessimistes...) et les **inertes** (apathiques, renfermés, muets, laconiques...). Vous en connaissez sûrement plusieurs dans votre entourage.
Ne vous découragez pas ; vous n'êtes plus condamné(e) à être la proie de ces « persécuteurs en tout genre ». Plusieurs méthodes psychologiques concrètes et largement expérimentées existent pour vous aider à sortir de ces situations délicates : contrôle émotionnel, bouclier intérieur, défense verbale, art de la négociation, humour...
L'auteur, master en sociologie de la communication, vous fait ici partager ses secrets et ses méthodes (avec tests et exercices) pour ne plus vous « laisser marcher sur les pieds » et passer dans le camp de ceux qui parviennent toujours subtilement à leurs fins. La capacité que vous aurez alors de vous entendre avec ces gens « difficiles » – et de vous en faire des alliés – deviendra vite l'un de vos atouts les plus précieux, tant dans votre profession que dans votre vie privée.

EXTRAIT DE LA TABLE DES MATIERES :

Première partie : **Qui sont les gens difficiles et comment les prendre ?**
I. **Et si les autres vous trouvaient difficile ? -** L'image que vous projetez - Les quatre forces qui déterminent votre personnalité - Que rechercher chez les autres ? - Comment vous affirmer face aux gens difficiles - La peur du rejet - Exercice...
II. **Les agressifs -** A quoi ressemblent-ils ? - Comment se comporter face à eux - Quelle stratégie employer ? - Les manifestations d'hostilité - Programme d'exercices - L'entraînement à la confrontation...
III. **Plaintifs et négativistes -** Portraits - Que faire pour les aider ? - Leur influence néfaste - Evitez le triangle « bourreau/victime/sauveur » - Comment obtenir leur responsabilisation - Programme d'entraînement...
IV. **Inertes ou « huîtres » -** Portraits - Leur comportement de silence - Parlez-vous le même langage ? - Posez les bonnes questions - Le poids du silence - Technique du « supposons que... » - Les huîtres du téléphone - Programme d'entraînement...
V. **Le ping-pong verbal -** A quoi aboutit ce jeu dangereux ? - Le danger des offenses - Comment y remédier - Ne laissez pas une relation s'envenimer - Prenez le risque de vous montrer vulnérable - L'obstacle du ressentiment - Programme d'entraînement...

Deuxième partie : **De quelles armes disposez-vous ?**
VI. **Quatre grandes étapes -** Evaluez posément la situation - Cessez de vouloir changer les autres - Prenez vos distances - Adoptez une stratégie gagnant/gagnant - Cherchez l'interaction positive - Conditions de réussite - Position de repli...
VII. **L'arme verbale -** L'attaque et la défense : commandements et conseils...
VIII. **Boucliers et force intérieure -** Différents niveaux d'agression et leurs parades - Les souffrances automatiques - Comment vous « désensibiliser » et vous « reprogrammer » - Boucliers émotionnels et mentaux - Techniques physiques de contrôle émotionnel - Relaxation dynamique - Visualisation...
IX. **L'humour : arme suprême -** Briser les fixations - Renverser les idées reçues - L'humour pour nous tirer d'affaire - Comment aiguiser votre sens de l'humour - Qu'est-ce que l'humour peut apporter à un refus ? - Le sarcasme et ses dangers...

Annexes : L'agressivité passive - Tests et grilles d'analyse - Correction des exercices...